LE PIRATE

SELIM FOUED

LE PIRATE

SPENGLER
130, boulevard Saint-Germain
Paris VIᵉ

© Spengler éditeur, Paris, 1995
ISBN : 2-909997-29-4

1

Je me nomme Ramzi Pacha, *kapoudan* de la flotte de
Tunis, au service de la Sublime Porte et de Soliman le
Magnifique, commandeur des croyants. Mes hommes
m'appellent simplement le *Raïs*, le capitaine. Pour les
infidèles, je ne suis qu'un pirate barbaresque, ou encore
le Corsaire rouge. On a coutume de dire que lorsque je
mets à la voile, la mer se teinte de sang. Au centre de
l'île de Djerba, j'édifiai naguère une haute tour à l'aide
des crânes des ennemis d'Allah. En haute mer, j'aborde
et m'empare de galiotes espagnoles tant que de frégates
françaises, de bricks anglais tant que de galères véni-
tiennes croulant sous les soieries et les cristaux. Je raz-
zie les côtes ligures et les plages provençales. Je fais du
butin aussi bien à Naples que sur la verdoyante rive dal-
mate.

Nouant mon turban devant le miroir en pied de mes
appartements, j'observe ma silhouette que les années
n'ont pas empâtée, drapée dans un caftan de soie
blanche rehaussé d'une large ceinture écarlate. Seules
quelques touffes blanches éclairant ma barbe de jais
témoignent de mes quarante ans. Du haut de la terrasse

de mon palais, par-delà le portique élancé ceignant le bassin d'eau limpide où se reflète l'émeraude du revêtement d'onyx, je contemple la mer scintillant de mille feux. Cette demeure, je l'ai arc-boutée à la falaise, comme un navire qui s'apprête à prendre la mer. On y accède par un verger bordé de cyprès qu'émaillent toutes sortes d'arbres fruitiers. Illuminant les feuillages denses, les citrons rivalisent d'éclat avec les oranges, parmi la sveltesse des pruniers et des abricotiers. La passion de la mer ne m'a pas fait perdre le goût des fruits du terroir. La saison de la piraterie close – du moins pour cette année –, je peux tout à loisir donner libre cours à mes appétits.

Dans la pénombre distillée par le moucharabie, allongé sur une ottomane parmi les coussins brodés, mon narguilé à portée de la main, non loin de la cafetière d'argent niellé, je me laisse aller à rêvasser. Le souvenir de ma première rencontre avec doña Esmeralda me revient en mémoire, comme toujours quand je savoure le repos des fins de campagne. Dix ans déjà ! Mes flibustiers l'avaient enlevée, tandis que cloîtrée dans un couvent proche de Málaga, elle fanait sa beauté dans le veuvage et l'abstinence. Un privilège accordé par le sultan m'autorisait à choisir parmi les nouvelles prises ceux ou celles que je désirais garder pour mon service personnel, tant pour ma couche que pour la domesticité de mon palais – cuisinières ou lavandières, jardiniers ou palefreniers – avant qu'ils soient conduits au marché aux esclaves pour y être vendus aux enchères au profit du Trésor. D'habitude je confiais cette corvée à Jibril, mon grand eunuque, qui avait l'œil pour déceler les constitutions robustes et les intelligences éveillées. Mais ce jour-là, je décidai d'exercer en personne mes attributions. Je m'installai donc au centre de ma salle d'audience, sous un dais de velours de Gênes, tandis que défilait une horde dépenaillée. Certains portaient encore dans leur chair les traces de la férocité de mes mamelouks, sabrés, embrochés à la pointe du cimeterre. Et puis, quand déjà lassé de ce pitoyable spectacle, je m'apprêtais à taper dans mes mains pour appeler le fidèle Jibril à prendre la relève, mêlée à cette foule loqueteuse, je la vis. Sa robe de brocart maculée de taches, lacérée par endroits, la peau disparaissant sous une croûte de crasse, certes le séjour à fond de cale ne l'avait pas flattée. Mais dans son regard sombre, l'éclair d'une pépite d'or suscita mon intérêt. Plus je l'observais, plus ses yeux me fascinaient. Une pupille de topaze brûlée au centre de laquelle crépitait une gerbe d'étincelles.

– Approche, dis-je en la désignant du doigt.
– Moi, seigneur ?, répondit-elle d'un ton dont l'assurance dénotait un caractère bien trempé.
– Oui, toi. Qui es-tu ?
– On m'appelle doña Esmeralda, fille du comte d'Alcantara et veuve du défunt marquis Juan de Aranjuez, mort au service de Sa Majesté très catholique.
Sans plus de commentaires, je jetai un regard à Jibril, qui hocha la tête, signe qu'il avait bien reçu le message. C'est ainsi qu'à l'heure de la sieste, deux gardes introduisirent la captive dans mes appartements. Je lui dési-

gnai l'ottomane, la priant d'y prendre place, mais d'un signe de la tête elle déclina l'invitation. J'en fus irrité. Cette péronnelle prétendrait-elle se rebeller à l'autorité de Ramzi Pacha, *kapoudan* de la flotte ottomane et terreur de la mer du Milieu ? D'un bond je fus debout, la main levée pour frapper, quand d'une voix douce, elle arrêta mon geste.

– Seigneur, je sais que je suis à votre merci, et que vous pouvez faire de moi ce que bon vous semblera. Permettez toutefois à une pauvre prisonnière, veuve de surcroît, de formuler une requête. Je n'ignore pas la réputation chevaleresque de Votre Seigneurie. Nul doute que l'ayant entendue, elle ne pourra qu'y accéder.

Le timbre de sa voix et l'élégance de son élocution me séduisirent. Constatant mon radoucissement, elle enchaîna aussitôt :

– Sa Seigneurie dont les multiples exploits sont parvenus à mes oreilles, ne voudra pas salir son auguste personne au contact d'une souillon. S'il vous plaît d'ordonner à vos femmes de me recevoir dans le harem afin que je puisse y faire un brin de toilette, Sa Grâce n'aura pas à regretter sa mansuétude. Un adage de votre langue ne proclame-t-il pas que ce qui est bon se fait attendre ?

Tant d'impertinence alliée à tant de persuasion achevèrent de me désarmer. J'acquiesçai donc, non sans la sommer de revenir le soir même, après dîner. L'éclat radieux de son sourire me récompensa de la patience dont j'avais témoigné.

La nuit était tombée, enveloppant le golfe dans sa cape de velours semée d'étoiles. Le parfum du jasmin s'y prenait comme en un filet. Les lourdes portes de cèdre s'entrebâillèrent pour céder le passage à la captive. Allah Tout-Puissant, quelle métamorphose! La chevelure incendiée au henné, prise dans une résille de perles, couronnait son visage à l'ovale très pur. Ses yeux scintillaient comme deux gemmes. La longue tunique de soie mordorée sertissait les courbes ondoyantes d'un corps délié. Ainsi parée, elle s'avançait vers moi, la démarche harmonieuse, les yeux baissés, telle une vierge vers la couche nuptiale. Sur un signe de moi, lissant du plat de la main sa robe sur ses hanches pleines, elle s'assit à mes côtés sur l'ottomane, et ne refusa pas le sorbet aux fraises que je lui offris. Tandis qu'elle le dégustait à petites bouchées, révélant ainsi une longue pratique des manières de cour, je me délectais de la contemplation de son nez droit – un rien busqué – de ses lèvres pulpeuses, de la ligne ployée de son cou d'albâtre. Je scrutais à travers l'étoffe légère le galbe généreux de ses seins, contrastant admirablement avec l'étroitesse de la taille enserrée dans une riche ceinture faite de pièces d'or, sous laquelle s'ébauchait la rondeur de la hanche.

Elle posa sa coupe sur le guéridon incrusté de nacre, et de ses yeux filtra un regard pétillant de promesses. Mes doigts se firent doux pour parcourir son front, la ligne incurvée de ses joues veloutées, le lobe des oreilles. Soudain ma poitrine reçut l'offrande de ses seins. Sa bouche accourut à ma rencontre, que mes lèvres cueillirent comme on cueille une fleur. Ses lèvres fraîches épousèrent les miennes, s'y fondirent. Notre premier baiser fut tendre, presque chaste. C'était la première fois qu'une femme suscitait en moi, non pas la furie du félin fondant sur sa proie, mais une étrange et douce tendresse. C'est à peine si je l'effleurai, comme du bout des doigts on flatte l'échine d'une gazelle.

Ma bouche picora ses joues, tandis que j'en humais le parfum de violette ; elle parcourut son cou, sa nuque, tandis que je caressais d'une main attentive l'ondoiement de sa chevelure drue. Je ne sais quelle fièvre s'emparait de moi, mes doigts brûlaient, mon sabre tressautait dans mon pantalon bouffant, et pourtant je réfrénais l'ardeur de mon désir, contenant l'envie folle de la ployer, de la pénétrer, de la pourfendre. Je laissai ma main errer sur sa peau satinée, pouce par pouce, en éprouver le soyeux, se repaître de sa douceur. J'étais devenu une torche incandescente. Ma langue chercha sa langue, la débusqua bientôt, s'y enroula. Nos deux langues nouées frétillaient de concert, tels deux poissons qui fraient.

Je buvais sa salive, suçais son chiffon de chair rose, enfonçais mon étendard vibrant jusqu'au fond de sa gorge. Et elle, loin de se dérober, ouvrait ses lèvres au plus grand écartement pour m'engloutir, me déglutir, m'absorber dans les profondeurs de son gosier. Je l'écrasais contre moi, insérais un genou entre ses cuisses que la coupe de la tunique empêchait de s'écarter tout à fait. Alors, d'un geste, alliant douceur et sensualité, elle me repoussa sur les coussins, et, se dressant de toute sa taille, entreprit de libérer son corps du mince rempart qui la défendait encore. Fébrilement, elle défaisait les boutons un à un. Je vis d'abord jaillir les seins ambrés, couronnés de leurs tétons de corail, le ventre bombé que sommait le nombril, incrusté en pleine chair comme un bouton de nacre, puis la toison luisante mas-

quant le pubis renflé, et enfin, alors que d'un mouvement ample elle balayait le sol de sa vêture, les cuisses
longues, droites et fuselées. Les yeux exorbités, les
mains tremblantes de désir, je la saisis par la taille et la
ployai sur la couche, où elle se laissa aller, les bras rejetés en arrière, en une attitude d'abandon. A cet instant,
une innombrable colonie de fourmis monta à l'assaut de
mes testicules qui prirent la dureté de galets. Je plongeai
de nouveau ma langue dans sa bouche fondante, elle
l'avala prestement, la suça, la mordilla. Emporté par
l'ardeur de ses baisers je me mis à l'explorer, parcourus
les épaules polies, effleurai les aisselles, m'enivrant de
l'odeur des buissons qui les tapissaient, songeant à cette
curieuse manie qu'ont les femmes de les épiler, qui
nous prive du plaisir de se perdre dans cette forêt de
santal. Des deux mains à la fois, j'empaumai les seins.
Tout ensemble ferme et moelleuse, leur chair profuse
débordait entre mes doigts. Longuement je les caressai,
les malaxai, les pétris comme un boulanger le pain de sa
famille. Entre le pouce et l'index, je saisis le téton, le
roulai, le pinçai. Je le sentais dressé, turgescent. Ma
langue l'enroba de salive, le lécha, le téta goulûment. Il
enflait dans ma bouche, frémissait sous ma langue. Je le
roulais dans mon palais comme j'eus fait d'un raisin
muscat avant d'y mordre à belles dents. J'espérais
presque qu'il y éclatât, libérant son miel. La poitrine de
la femme houlait, se soulevait et s'abaissait selon un
rythme de plus en plus rapide. Sa respiration se fit
rauque, hachée. De temps à autre, tandis que je mor-
dillais les aréoles, ou que je gobais le sein tout entier
dans ma bouche pour le mastiquer, elle poussait un long
gémissement. Sous moi, je percevais la chaleur de son

ventre qui tanguait, s'arquait, s'arc-boutait au mien. Ses cuisses s'ouvraient comme un livre. Un livre que j'allais déchiffrer avec passion, mot à mot, phrase à phrase, non sans avoir humé à pleins poumons la fragrance capiteuse qui s'en exhalait comme d'un brûle-parfum.

Quant à moi, l'armée de fourmis gravissait maintenant ma dague, lui infligeant mille menues morsures, y mettant le feu. Jamais je ne la sentis si roide, si dressée, si saturée de sang. Elle me semblait prête à se fendre, pareille à un fruit gorgé de suc. Comme mue par son propre mouvement, elle se frottait contre le ventre offert, qui se tendait vers elle, s'apprêtant à l'engloutir tel une bouche goulue. Mais une étrange force me commandait de réfréner son ardeur, de tempérer son impatience. Je voulais qu'elle jouît. Je voulais l'entendre gémir encore et encore, geindre, hurler d'attente et de frustration, se lamenter comme un enfant, implorer grâce. Je voulais d'abord goûter son nectar avant de l'inonder de ma liqueur.

D'un geste preste, je me dégageai, non sans peine, des bras qui s'agrippaient à mon cou, et me jetai à genoux sur le tapis. D'une main, j'empoignai les cuisses brûlantes et les soulevai, de l'autre, je glissai un coussin sous les fesses de la belle qui ne cessait de gémir. Un cri plus aigu que les autres s'arracha de sa gorge comme, tenant ses cuisses largement disjointes, je scrutai son oasis livré à ma convoitise. Du bout des doigts, je lissai les poils tapissant les lèvres gourmandes, puis délicatement je glissai l'index au milieu de la vallée, qu'avec bonheur, je découvris trempée de

rosée, tel le cœur d'une rose cueillie au petit matin. Je
ne me lassais pas de parcourir la fente humide, lissant
au passage la longue crête dressée que je sentais s'éri-
ger sous ma caresse. Haletante, elle accompagnait mes
allées et venues au centre de sa chair d'un roulis
convulsif. Mais malgré que j'en eus, je refusai de la
pénétrer, laissant jouer mon doigt à l'orée du vagin
avide, d'où coulait une abondante liqueur.

   – Seigneur, hoquetait-elle, seigneur ! Prenez-moi...
Prenez-moi de grâce... Baisez-moi, seigneur, je vous en
conjure. Je vous veux... Je vous veux en moi...

   Mais moi, je résistais toujours à ses appels de plus en
plus pressants, à sa voix de plus en plus suppliante. Je
désirais qu'elle m'implorât, qu'elle quémandât, qu'elle
pleurât. Je désirais que sa vulve fût mordue par mille
sangsues assoiffées. Je désirais qu'il en jaillît un torrent
tel qu'une mare se formerait au pied du lit, un lac de
sécrétions vaginales aussi bouillonnant que l'océan de
sperme qui bouillonnait dans mes couilles. Je bouchai
donc mes oreilles à ses suppliques, et plongeai le nez
dans cette chatte d'où montaient les vapeurs torrides
d'un volcan en pleine éruption. Entrouvrant le
coquillage irisé, j'y glissai le bout de la langue qui se
mit à y fureter comme un poisson affamé dans un aqua-
rium. Sous mes papilles, le clitoris se dilatait pour
atteindre la taille d'une cerise. Tantôt je le fouettais
d'un coup rapide, et tantôt, ralentissant la cadence, je le
lissais d'une caresse lente et continue.

   A présent, elle avait cessé de crier, mais geignait faiblement telle une enfant malade. Des deux mains, je
soulevai les cuisses plus haut encore, séparai les globes
des fesses en les tirant en sens contraire d'une brusque

saccade, et insérai la langue dans la raie. Quand elle
sentit la caresse humide effleurer sa rosette, elle hurla :

   – Non, non seigneur ! Non, c'est trop, c'est trop bon,
c'est trop...

   Les mots lui manquèrent. Elle arc-bouta ses talons
sur mes épaules, s'offrant mieux encore. Après cette
brève mais succulente reconnaissance, je remontai à la
vulve, non sans au passage avoir lapé la mouille qui
ruisselait le long de ses cuisses et trempait l'ottomane.
Écartant la fourrure, j'écartelai les lèvres du bijou. Au
centre, le clitoris palpitait tel un cœur battant la cha-
made. Pesant des épaules sur les cuisses pour l'exposer
mieux encore, je l'enrobai de salive, puis le gobai
comme un œuf tout frais. Je la maintenais à grand-peine
dans cette posture renversée, tellement les soubresauts
de son ventre devenaient heurtés, saccadés, affolés. Son
souffle se précipitait, sa tête dodelinait de droite et de
gauche comme si une brusque démence se fût emparée
de son esprit. Je suçais la truffe, l'aspirant puis la rejetant hors de ma bouche d'un petit mouvement de la
langue qui en chatouillait l'envers, le titillant encore
pour le gober de nouveau, le mastiquant à l'intérieur de
mes joues, le mâchant doucement comme j'eusse fait
d'une friandise. Je ponctuais ma dégustation de menus
mordillements qui arrachaient à la belle des sauts de
carpe ferrée, des tressautements de biche forcée. Enfin,
une lame de fond se forma au plus profond de son
ventre qui se creusa, remonta par spasmes violents le
long de son thorax oppressé, et explosa dans sa gorge
nouée. Elle éructa un bref sanglot, suivi d'un feulement
déchirant de biche aux abois, et s'affala sur la couche,
tel un pantin brisé. Son miel parfumait ma barbe d'une

étrange lotion, humectait mes lèvres de sa saveur marine, m'éclaboussait jusqu'aux yeux.

La prenant à bras le corps, je l'étendis sur le lit avec toute la délicatesse que m'autorisait encore mon désir incandescent. Sans lui laisser le temps de reprendre souffle, je m'agenouillai de part et d'autre de son visage, le pieu pointé sur sa bouche encore haletante. A l'instant ses lèvres s'ouvrirent pour m'accueillir, ainsi que les portes du paradis pour les vrais croyants. La fraîcheur de sa salive apaisa la brûlure de mon zob congestionné. Sa langue s'incurva autour du gland prêt à éclater comme une grenade mûre. Elle s'enroula autour de la hampe, la lissa, l'humecta. Sa bouche montait en reptations menues des couilles au gland, puis redescendait tout au long de la colonne de chair qui se violaçait. J'étais pompé dans une gaine de chair fiévreuse, mouvante, frétillante. Mon tison tantôt s'enfonçait dans sa gorge jusqu'aux couilles, et tantôt se rétractait au bord des lèvres où il se frottait tout à loisir. Je le sentais d'une dureté de marbre, mais d'un marbre vivant, tout palpitant sous l'afflux de sang qui ne cessait de l'irriguer telle une incessante marée. A grands coups répétés je lui pistonnais le fond de la gorge, désespéré qu'il ne fût pas assez long pour le lui enfoncer jusqu'au cœur. Je me tenais en équilibre instable sur l'arête de l'orgasme, la queue lui sabrant impitoyablement le palais, sachant que d'un instant à l'autre j'allais basculer, céder au vertige de la jouissance. D'un coup de rein brutal, je m'arrachai au creuset torride de ses lèvres.

Les genoux écartés, elle était déjà disposée à accueillir mon assaut. A peine fus-je à la portée de sa grotte que je me sentis happé comme en un tourbillon. Fugacement, je pensai à ces navires engloutis corps et biens au fond des abysses. Son vagin mû par un vertigineux mouvement de bas en haut enfournait ma queue avec furie. Je n'eus pas le loisir d'esquisser le moindre geste, tant le cyclone me roulait dans sa tourmente. Sa gaine était à mon exacte mesure, on l'aurait dite moulée sur mon membre, avec ce peu d'étroitesse qu'il faut pour qu'il y coulisse avec bonheur, lubrifié par ses sécrétions intimes, massé de toutes parts par ses parois huilées.

Soudain un soleil éclata au centre de ma poitrine, y semant mille éclats. Il me sembla que la vie s'enfuyait de moi à grands flots. Je rugis, chaviré de bonheur. Jamais jusqu'alors je n'avais joui avec une telle force, un tel emportement, une telle perte de conscience. Mon ancre toujours rivée au fond de la grotte enchantée pleurait sa substance, bolée après bolée. Enfin, toujours enfoui en elle, je retombai sur sa poitrine, foudroyé.

De ses longs doigts de patricienne, elle essuya tendrement la sueur qui perlait à mon front.

– Seigneur, dit-elle dès qu'elle eut récupéré son souffle, je vous dois une joie immense. A partir de ce jour, je suis à vous, corps et âme, tant que vous voudrez bien m'honorer de vos faveurs. Je serai à votre gré votre esclave et votre putain, votre confidente et votre amante ardente. Faites de moi ce qui vous semblera bon. D'avance, j'y consens.

En guise de réponse, j'ôtai de mon doigt une émeraude de la plus belle eau, présent de Sa Grandeur le
sultan d'Istanboul, que je passai à son annulaire.

– Par le don de cette pierre, je fais de toi ma femme,
dis-je, marquant ainsi qu'elle s'était montrée digne de
ma couche.

Sans grandes déclarations, nous nous étions compris.

Sonnant le chambellan, je nous fis servir une collation. Vivement une table basse fut dressée au pied du lit,
croulant sous les coupes chargées de lourdes grappes de
raisin doré, de figues vertes et noires, de poires fondantes, et de tout un assortiment de friandises, depuis
les pâtes d'amande pétries dans de l'eau de géranium
jusqu'aux baklavas et les oreilles de cadi nappées de
miel. Sans oublier, pour arroser ces agapes, une carafe
de vin de Porto provenant d'une galiote lusitanienne
capturée au large des îles Canaries.

Quand nous nous fûmes restaurés et désaltérés notre
content, j'allumai mon narguilé à une braise. L'arôme
du tabac turc mêlé de miel – un mélange concocté à ma
seule intention – embauma l'atmosphère. Adossé aux
coussins moelleux, je lui demandai de m'éclairer sur le
mystère de la métamorphose qui avait transformé une
souillon en princesse des *Mille et Une Nuits*.

– Point de mystère, seigneur, répondit-elle, mais simplement l'extrême bonté de votre première épouse Hinda
Hanem, qui prit en pitié la pauvre captive que je suis.

Ce disant, l'éclat de son regard révélait qu'elle
n'aurait plus lieu désormais de se plaindre de son sort.

– A peine fus-je introduite dans le harem, poursuivit-
elle, qu'elle me fit conduire dans ses appartements, et,
en toute simplicité, me fit asseoir sur un pouf au pied de

son divan. Elle me traita comme une princesse, me fit servir un succulent repas et déguster un sirop de violette. Puis elle ordonna à ses femmes de me laver dans son hammam privé, de me masser et de me parfumer, enfin de me revêtir des atours que je porte... que je portais, rectifia-t-elle, désignant avec une mimique charmante sa nudité qu'elle ne croyait pas utile de voiler. Le tas d'étoffes rutilantes gisait sur le tapis.

« Comme je remerciais Hinda Hanem de sa générosité, elle me fit signe de me taire. Il fallait que je sois belle, dit-elle, puisque j'allais cette nuit-même orner la couche de son époux bien-aimé. Je dois avouer, seigneur, que tant de beauté alliée à tant de grandeur d'âme m'imposèrent le respect.

– A juste titre, répondis-je, Hinda est une épouse exemplaire. De plus, elle m'a donné mon aîné, Mourad Pacha, qui déjà fait voguer ses navires dans les bassins du palais. En vérité, il n'a que dix ans.

– Que Dieu vous le garde, seigneur.

– Et qu'Il te garde de même, doña Esmeralda.

Et, lui servant de ma main une coupe de Porto, je la priai de me conter son histoire.

– C'est l'histoire banale d'une jeune patricienne ibère élevée derrière les hauts murs de l'hacienda familiale, dans les parages de Salamanque. Les journées, monotones, se déroulaient entre la messe des mâtines et la messe des vêpres, célébrées en notre chapelle avec tout le cérémonial de rigueur. Je ne mettais le nez hors du domaine que deux fois l'an, l'une à Pâques et l'autre à Noël, pour me rendre à la cathédrale assister à la liturgie. A dix-huit ans, le comte d'Alcantara, mon père – austère gentilhomme tout de noir vêtu depuis le décès de ma mère – me donna au marquis de Aranjuez, qui m'emmena dans ses terres. Plus jamais je ne revis ma famille. Le marquis fut peut-être un bon soldat de Sa Majesté très catholique, mais il se révéla un bien piètre amant. Il me dépucela comme on embroche un ennemi d'un coup de glaive. Moins d'une année s'était écoulée depuis les noces que, parti faire fortune dans le Nouveau Monde, il y trépassa, victime d'une flèche empoisonnée, dit-on. N'ayant point perpétué la lignée de mon époux, je fus enfermée dans un couvent. Je m'y morfondais quand vos hommes fondirent comme la foudre, pillant et violant les nobles dames et les nonnes, sans discrimination. Si je fus épargnée, ce fut grâce à l'un de vos officiers qui m'arracha à la soldatesque, non par pure bonté d'âme sans doute, mais pour me présenter à votre seigneurie en guise d'offrande.

– Cet agha est peut-être un flagorneur, mais je le récompenserai comme il le mérite pour l'inestimable présent qu'il me fit en te ramenant saine et sauve.

– Grâces vous soient rendues de toutes vos bontés, beau prince. Si elle osait, votre humble servante prierait son seigneur et maître de lui accorder une nouvelle faveur. Oh! rien qui puisse déplaire à votre grandeur, plaida-t-elle.

– Tous tes vœux seront exaucés sur l'heure.

– Merci du fond du cœur, grand prince. Il s'agit d'Inès, ma jeune suivante, qui ne m'a jamais quittée depuis que j'ai abandonné la demeure de mon père. Elle m'a fidèlement suivie dans le *parador* de feu mon mari, puis au couvent. Quand je fus emmenée en captivité, elle partagea mes chaînes.

– Qu'en est-il advenu à cette heure ?

– On la tient recluse dans les geôles de votre palais, maître, où elle attend d'être menée au marché aux esclaves pour y être vendue.

– Elle sera libérée sur-le-champ, et affectée à ton service personnel. J'ordonne également que des appartements privés te soient attribués. Dès aujourd'hui, je te nomme ma favorite. Nul doute que tu auras à cœur de mériter un tel privilège.

Je n'eus jamais à m'en repentir. Elle fut, et demeure – maintenant que dix années se sont écoulées depuis cette nuit-là – la plus ardente des concubines. Mieux, mon *alter ego*, mon âme sœur.

Avec la grâce innée d'une sultane, elle se coula hors de la couche et entrouvrit le moucharabie. Une fragrance de jasmin portée par la brise marine envahit la pièce. La nuit était bleue, que rehaussait un croissant de lune, tel une fibule d'or sur une robe d'apparat. Alangui de bien-être, je l'observais alors qu'elle s'en revenait vers moi de son pas félin, séduit par le port orgueilleux de la tête, l'harmonie des proportions, la taille creusée, la courbe indolente et pourtant ferme de la hanche, le galbe des cuisses aussi pleines que des melons d'eau. La lueur dansante des lampes à huile jouait sur la peau ambrée, tantôt exaltant les masses pulpeuses des seins solidement amarrés au buste svelte, tantôt dessinant le buisson triangulaire encore tout luisant de nos élixirs mêlés. On pouvait même discerner la traînée opalescente qui serpentait du ventre sculpté dans l'ivoire au genou poli comme un galet. Mon désir renaissait comme un coup de vent ranimant les braises couvant sous la cendre.

Elle accourut se blottir au creux de mon épaule, où sa chevelure s'épandit telles les corolles d'une brassée de fleurs chatoyantes. De ma main libre, j'y fourrageai avec délectation, ne me lassant pas de la peigner et de la dépeigner, m'émerveillant qu'une telle soie pût fleurer parfum si capiteux. Elle gardait les yeux mi-clos, un léger sourire flottant sur ses lèvres entrouvertes, comme je parcourais du bout du doigt les contours délicats de son visage, le front haut, l'arête rectiligne du nez, la ligne pure du menton incisé à la pointe sèche. J'écoutais son souffle paisible, et une vague de tendresse me submergeait. Au bout de quelques instants, elle ouvrit les yeux, émergea de sa torpeur pour se saisir de ma main qu'elle pressa vivement contre la pulpe embrasée de ses lèvres. Bientôt elle dardait sa langue et en sillonnait ma paume d'une reptation mouillée, l'insérait dans les interstices des doigts qu'elle entreprit de lécher un à un avec une exquise lenteur.

Enfin, elle introduisit mon pouce dans sa bouche, qu'elle se mit en devoir de sucer comme elle eût fait d'une bite, montant et descendant jusqu'au creux de la paume, y enroulant la langue. Ensuite les autres doigts, à tour de rôle, subirent le même sort, tandis que de ses paupières mi-closes filtrait un regard tout ensemble ingénu et pervers. Elle n'en finissait pas de téter, arrondissant les lèvres comme un nourrisson autour du téton de sa nourrice, enfournant tantôt l'index et tantôt le majeur jusqu'à la luette, le ressortant, le léchant de nouveau d'une langue agile, l'enrobant de salive. Alors que sans se lasser elle se livrait à ce manège, il me semblait qu'une poignée d'orties me cinglait l'abdomen. Pourtant, je me refusais à crier grâce, trouvant à cette caresse inédite autant de plaisir qu'elle paraissait y prendre.

Maintenant, les lèvres avides remontaient le long de mon avant-bras, s'attardaient à la saignée du coude, escaladaient l'escarpement de l'épaule. Ses dents la mordillèrent, puis la contournèrent pour se nicher au creux de l'aisselle ou elles firent mine de s'assoupir. Ensuite, comme prise d'une inspiration subite, elle y plongea pour happer une touffe de poils qu'elle mâchonna, tandis que la langue toujours active se lovait sur les replis de la chair. Mon souffle se précipitait, rauque. Descendant d'un cran, voilà qu'elle fourrageait dans la toison de ma poitrine, des doigts, de la bouche, de la langue, excitant les mamelons, les titillant, les gobant entre ses lèvres gloutonnes. Cependant la langue ne désemparait pas, tour à tour caressant et fouettant, lissant et léchant, toujours virevoltante, sautillante, inlassable, tantôt incurvée en pointe, tantôt roulée sur elle-même, tantôt s'élargissant et tantôt s'effilant, petit animal vorace et onctueux.

Mon zob se dresse comme un mât de misaine. D'un mouvement gracieux, elle m'emjambe, s'installe à califourchon sur mon abdomen et, après avoir effleuré mon gourdin depuis les couilles jusqu'au gland d'un geste à la fois ferme et tendre, elle bascule en arrière, s'appuyant à mes genoux relevés, elle le glisse d'un coup dans les profondeurs de sa crypte. Le fourreau onctueux m'absorbe jusqu'aux bourses. Les lèvres de la chatte s'écrasent sur la forêt de mon pubis. Les dômes jumeaux des fesses reposent sur mon obélisque gonflé. Pendant un temps interminable, elle demeure dans cette posture, immobile. Je reste enfoui au fond de sa grotte détrempée, son bouton de rose frottant à l'envers de ma verge captive. Ses cheveux balayent mon torse où mon cœur cogne à se rompre, qu'elle rejette en arrière d'un bref mouvement de la tête. Son teint s'empourpre, ses yeux étincellent. La pression de ses cuisses nerveuses me prend en tenailles, me maintient prisonnier de son puits d'amour mieux que ne le feraient mille chaînes. Sa bouche fond dans ma bouche, sa langue s'enroule autour de la mienne, l'entraîne dans un ballet débridé. Elle arrondit les lèvres, la capture, la suce avec une exquise et insoutenable lenteur.

Enfin son corps sort de sa torpeur, se met en mouvement. Avançant et reculant le bassin selon un rythme de plus en plus saccadé, elle s'empale sur ma verge, frottant à chaque passage ses lombes sur mes couilles remontées par la posture et par l'excitation. A chaque aller et retour, je sens la protubérance humide de son bouton limer ma hampe. Jamais mon zob n'a été à pareille fête, astiqué à tout va, dans cette gaine trempée de mouille, tandis que ma langue frétille dans cette bouche torride, suceuse, dévorante, affamée. Le roulis s'amplifie, se fait plus syncopé encore, le rythme plus soutenu. Ma racine prise au piège du vagin ensorcelé, à la fois souple et puissant, onctueux et infatigable, tour à tour aspirée et refoulée, massée de la pointe du nœud à sa base, pressée, malaxée, pétrie, roulée, lubrifiée, menace d'exploser. Ses éclats incandescents vont lui déchiqueter les viscères, lui perforer les tripes. Je ne suis plus qu'un pis qu'elle trait avec acharnement.

Sa respiration devient sifflante, elle s'étouffe, l'air lui manque. Sa poitrine s'écrase contre mon thorax. Elle crie faiblement, puis une longue plainte flûtée fuse de ses lèvres. Pourtant sa cavalcade ne ralentit pas un seul instant. Mon poignard la pourfend, il va soulever sa matrice, la retourner comme un gant... Un râle s'arrache de ma gorge, un éclair me zèbre les yeux. Et je me répands à grandes giclées dans son gouffre de braise.

2

Le lendemain, je m'éveillai frais et dispos, l'âme sereine. Les ébats de la nuit n'étaient certes pas étrangers à ce nouveau bien-être. Cela faisait beau temps que l'amour n'avait suscité en moi ce sentiment de satisfaction profonde. C'était comme si une paix s'était instaurée entre mon être et le monde, qui me prodiguait ses beautés à pleines mains. On avait déversé une corne d'abondance à mes pieds, et je n'avais qu'à me baisser pour en recueillir les bienfaits. Je savais que j'en étais redevable à doña Esmeralda, qui pour l'heure se cachait dans les profondeurs du sérail. Elle n'y attendrait pas longtemps.

Octobre tamisait la lumière au-dessus de la mer étale. A perte de vue, les cimes des cyprès effilochaient le ciel, dont l'éclat se fanait. Les longues vacances qui s'ouvraient devant moi dévoilaient maintes plages de loisirs que je comptais bien jalonner de plaisirs raffinés. Nul doute que ma sultane y apporterait une importante contribution. Déjà je voyais en elle l'ordonnatrice de mes voluptés.

Le terme de la saison de la course était advenu avec

la fin de l'été. Allah le Miséricordieux m'avait alloué une moisson de victoires dont j'avais tout lieu d'être satisfait. Mes cales avaient eu peine à contenir le butin amassé. De surcroît, le produit de la vente des prisonniers sur le marché aux esclaves me procurait – déduction faite de la redevance au Trésor – de confortables revenus. Ils s'ajouteraient aux piles de douros d'or et de pièces d'argent dont regorgeaient mes coffres. Mes épouses et concubines ne savaient plus que faire des joyaux et bijoux dont je les gratifiais. Mes magasins croulaient sous le poids des boisseaux de froment et de seigle, des jarres d'huile et des corbeilles d'épices. Dans mes caves s'alignaient force flacons de vins fins et d'ambroisie. Toutes sortes de fruits mûrissaient à l'ombre de mes celliers.

J'avais certes perdu une poignée d'hommes, dont Zulficar Pacha – une de mes capitaines parmi les plus valeureux – tombé devant La Valette. J'en ressentis une grande peine, mais tous mes compagnons d'armes m'étaient également chers – puisse Allah les recevoir au jardin d'Eden, parmi les houris aux yeux de gazelle, les rivières de lait et les ruisseaux de miel. Certes, on avait eu à déplorer quelques brèches ouvertes dans les coques, à souffrir quelques avaries, un de mes vaisseaux avait sombré au large de Majorque, traversé de part en part par un obus. Mais c'est fortune de guerre, et nous avions porté trop de coups terribles aux infidèles pour n'avoir pas eu à endurer quelques avanies. Allah est le Plus Grand, et vole toujours au secours des vrais croyants.

Je fis mes ablutions rituelles, me purifiant pour la prière de l'aube. Ayant fait harnacher Zina – ma jument préférée –, je fis, sans me presser, le tour du domaine. Je vis les jardiniers s'affairant parmi les arbres, binant là, sarclant ici les mauvaises herbes, taillant la vigne, émondant le bois mort. L'eau gargouillait dans les rigoles, léchant le pied des amandiers et des abricotiers, désaltérant les pommiers et les grenadiers. Je rentrai, respirant à pleins poumons la fraîcheur de l'air, coupant à travers le parc, où j'avais fait planter des avenues de sycomores et des bosquets de lauriers. De loin en loin une fontaine bruissait, ombragée de palmiers.

Jibril servit le déjeuner sur la terrasse. Sous un dais, on avait dressé une table basse, où l'on avait disposé les mets sous des cloches de fibres tressées, afin de les préserver des mouches et autres insectes. Je mangeai de bon appétit une portion de tajine aux épinards et un ragoût de mouton aux pruneaux mijoté avec des aromates. En guise de dessert, j'adoucis mon palais d'une crème à la pistache, arrosant le tout de petit lait.

Après la sieste, je tins audience comme à l'accoutumée. Les chefs des tribus alentour vinrent me rendre hommage, tout chargés d'offrandes : qui un mouton et sa brebis, qui quelques pots de miel, un troisième une vierge nubile de laquelle je pouvais user à ma convenance, soit pour ma couche soit pour le service du palais. On dégusta du thé à la menthe. Un poète déclama un dithyrambe à ma gloire. Un vieux cheikh aveugle conta quelques anecdotes édifiantes de la vie du Prophète – sur lui la paix et le salut. Le crépuscule tomba, engloutissant toutes choses, hors les feux hirsutes des braseros et le grésillement des grillons.

Sans plus attendre, j'envoyai quérir ma nouvelle sultane. Celle-ci survint bientôt, plus belle encore que la

veille. Un caftan vert jade rehaussait l'éclat de ses yeux.
L'émeraude que je lui avais offerte scintillait à son
annulaire.

— Mon prince, fit-elle dès qu'elle eut pris place à mes
côtés, grâces vous soient rendues de n'avoir pas oublié
votre humble servante. Mais les dames du harem ne
vont-elles pas en concevoir quelque ressentiment à mon
endroit ? ajouta-t-elle d'un air mutin. Je me suis laissé
dire qu'il n'était pas de coutume que le raïs reçût deux
nuits de suite la même femme.

— Je n'ai que faire des commentaires de mes femmes,
rétorquai-je non sans quelque humeur. C'est ta compagnie que je désire. En serais-tu fâchée par hasard ?

— A Dieu ne plaise, beau sire ! Mon maître m'est
entré dans le cœur, et n'en sortira qu'avec mon dernier
souffle.

— A la bonne heure. Et maintenant, divertissons-nous.
Que proposes-tu ?

— … Un bain, dit-elle après une seconde d'hésitation.
Je fis mine de m'irriter :

— Est-ce à dire que mon odeur te rebute ?

Un petit rire taquin fusa de ses lèvres et, me prenant
par la main, elle m'entraîna vers le hammam en chucho-
tant : « Monseigneur n'aura pas à regretter d'avoir cédé
à mon caprice. »

Le bassin de marbre débordait d'eau chaude, sur
laquelle flottait un tapis de pétales de rose. Avec des
gestes câlins, elle me déshabilla, puis, s'étant dévêtue à
son tour, me suivit dans l'onde. L'eau la submergea
jusqu'à la gorge, de sorte que seuls émergeaient son col
gracieux et son visage encadré par la chevelure fauve
croulant sur les épaules. Adossée à la paroi, elle

m'ouvrit les bras. Je m'empressai de l'enlacer, cédant
au désir qui n'avait cessé de me poursuivre depuis le
réveil. Aussitôt, ses bras s'agrippèrent à mon cou, et
nous échangeâmes un long baiser tendre, tout embrasé
de passion. Nos lèvres fondirent dans le même brasier,
nos langues célébrèrent leurs retrouvailles, humides,
virevoltantes, émerveillées de renouer le ballet interrompu. Immergés jusqu'au menton, nos corps s'arc-
boutaient l'un à l'autre, se frôlaient, se frottaient comme
deux poissons qui fraient. Passant mes bras sous ses aisselles, je lui empoignai les fesses qui remplissaient mes
paumes de leur pulpe satinée. Elle eut un mouvement
lascif du bassin, effleurant ma virilité qui se mit à pousser entre mes jambes comme une branche de coudrier.
Ses doigts plongèrent soudain dans l'eau, se saisirent de
mes prunes avec la grâce d'une naïade et, après les
avoir flattées, soupesées, roulées l'une et l'autre avec
douceur, remontèrent le long de la colonne en tirant sur
la peau, pour enfin coiffer le gland. Puis elle reprit le
même geste, mais en sens inverse, tandis que j'imprimais mes lèvres à la saignée de son cou, que j'insérais
une langue fureteuse dans le pavillon de l'oreille. Je
perçus le frémissement de son corps, les frissons s'y
propageant en ondes concentriques, et la délicate chair
de sa chatte propulsée contre mon nombril. Déjà je brû-
lais de l'enfiler, là, parmi les pétales qui voguaient sur
l'eau. Déjà je lui glissais un genou entre les cuisses pour
la forcer, quand elle m'échappa d'une prompte esquive.
     – Pas encore, monseigneur, pria-t-elle. Que mon
maître fasse preuve de patience, il n'aura pas à s'en
repentir. Avec votre permission, je vais vous bichonner.
     Joignant le geste à la parole, elle entreprit de savon-

ner une grosse éponge. Réfrénant mon désir, je sortis du bassin et m'allongeai sur le banc qui courait parallèlement à la vasque. Rejetant sa chevelure en arrière avec ce geste gracieux que désormais je connaissais bien, elle se mit à m'enduire d'une mousse onctueuse. Sa main passait et repassait sur ma peau, de la racine des cheveux à la pointe de l'orteil, sans en excepter le moindre recoin. Elle l'imprégnait d'une légère odeur de lavande, la lissant, la massant, s'insinuant dans les replis, les aisselles, les aines… jusqu'à la raie de mes fesses, qui fut proprement étrillée. Jamais je n'avais été récuré de la sorte. Mais c'est à mon cep qu'elle réserva un traitement de choc. S'étant débarrassée de l'éponge, c'est à pleines mains qu'elle procédait à présent. L'une s'était saisie des bourses qu'elle enveloppait dans sa paume, l'autre s'était refermée autour de la hampe qu'elle serrait en montant et descendant alternativement. L'onctuosité de l'émulsion conférait à la caresse une douceur sans pareille. Mon zob se violaçait, se congestionnait, émergeait de la mousse et s'y immergeait tour à tour, alors que la cadence se faisait plus vive, plus enveloppante. Je commençais à hoqueter, le souffle me manquait. Je respirais à petites inspirations haletantes. Maintenant, après m'avoir fait relever les genoux, elle glissait son annulaire et son index réunis dans la rainure séparant les fesses, et caressait la face postérieure des couilles, non sans pousser quelques incursions au bord de l'anus. Elle imprimait à ses doigts de menues glissades qui les menaient à la lisière du sphincter. Je hoquetais de plus belle. Je ne pourrais plus retenir bien longtemps le geyser qui gonflait mes couilles : « Continue ! Ne t'arrête pas ! »

Dès que le premier spasme eut soulevé mon ventre, elle se pencha et son visage reçut une pluie de foutre, alors même que ses mains n'interrompaient pas leur office. L'ondée coulait sur son front, ruisselait sur ses joues, sa chevelure se constellait de flaques laiteuses. Puis sa bouche attentive et tendre recueillit les dernières gouttes du liquide bouillonnant. Longtemps, bien longtemps, des lèvres et de la langue, elle apaisa ma bite qui ne relâchait pas sa tension, la lapant à petits coups gourmands, gobant le gland encore gonflé comme elle eût fait d'un bonbon, léchant les parois encore humectées de sperme et de savon mêlés. Cette étrange crème engendrait des bulles qui venaient crever aux commissures de ses lèvres, dégoulinait sur son menton. Elle ne daigna libérer ma verge que lorsque celle-ci, épuisée, brisée, demanda grâce. Elle la reposa doucement sur ma cuisse. Mais, ne voulant rien perdre de ma semence, elle se ravisa, et pressa le membre mou entre le pouce et l'index, entrouvrant ainsi le méat pour, du bout de la langue, y cueillir l'ultime perle.

— Parle-moi de ta vie au couvent, demandai-je. Je veux tout savoir de toi. Et surtout, n'omets rien.

Nous avions regagné la couche qui nous enveloppa de fraîcheur après la chaleur du bain. Des brûle-parfum montaient, lascives, des volutes d'encens. Accoudée à un coussin, elle grappillait quelques grains de raisin muscat. Sa chevelure se déployait sur son épaule, tel un oriflamme.

— Notre maître n'ignore pas l'austérité du séjour monacal, répondit-elle. Les messes, la frugalité des repas, la contrition, le recueillement, tel est l'ordinaire des couvents. Seules de rares promenades dans le cloître et les jardins peuvent distraire les âmes consacrées au service de Dieu. Avec pour toute compagnie des novices – pour la plupart des filles de la campagne, mal dégrossies et sentant le rance. Et une poignée de pensionnaires – des cadettes le plus souvent – attendant qu'un parti acceptable se présente. Les nonnes de quelque instruction s'efforçaient d'inculquer les rudiments du catéchisme et quelques notions de broderie ou de musique. J'étais la seule à avoir été en puissance de mari, et y traînais un veuvage bien maussade...

– J'imagine très bien tout cela, l'interrompis-je. Il est advenu que mes hommes capturent des nonnes, qui m'en ont largement instruit. J'ordonnais toujours qu'elles fussent convenablement traitées, soignées en cas de besoin et libérées sans rançon car nous tenons pour saint le service de Dieu. Mais laissons ces banalités. J'attendais de toi une relation... plus intéressante. De nouveau, je te prie de ne me rien cacher (et je martelai le *rien*).

– Je demande grâce à mon seigneur et maître. Qu'il ne se mette pas en courroux. Loin de moi l'idée de provoquer sa colère. Mais la pudeur d'une femme...

– Point de pudeur entre nous ! Je veux *tout* savoir !

– Vos désirs sont des ordres, mon bien-aimé prince. Il se fait, maître, que bien qu'ayant peu connu mon défunt mari, j'avais cependant éprouvé... l'homme. Mes sens... s'étaient éveillés, même si les rares rapports conjugaux ne m'avaient pas prodigué des joies ineffables. Toutefois ma chair réclamait avec insistance son lot de caresses. Je résistai longtemps, mais un après-midi où la canicule écrasait le couvent, rabougrissant les arbres et frappant de torpeur les oiseaux, eh bien ! je cédai à la tentation...

A ce point de son récit, elle marqua une pause, dont je ne savais si je devais la mettre au compte de sa gêne ou de sa perversité. Le fait est qu'une bouffée de chaleur commençait à monter le long de mes cuisses et à lécher mes couilles, que je pensais – bien à tort, sans doute – tout à fait asséchées après la séance du hammam.

– Continue, ne t'interromps pas, gromelai-je.

– Oui, seigneur. J'étais donc seule dans ma cellule. Inès, ma petite servante, s'était rendue aux cuisines pour aider à faire la vaisselle, comme à l'accoutumée. Alanguie de chaleur, j'ôtai ma robe et, ne gardant sur moi que ma seule chemise, je m'étendis sur le lit étroit et fermai les yeux. A cet instant, un flot d'images m'assaillit.

– Quelles images ? questionnai-je à brûle-pourpoint.

– Que mon seigneur est impatient ! Comme il piaffe, tel un pur-sang ! Mais je lui révélerai tout dans un instant. Des mains me caressaient, parcouraient mon corps. Une bouche prenait ma bouche, poussait sa langue dardée au fond de ma gorge. Je vis aussi un sexe mâle tout érigé, conquérant. Le plus curieux c'est que je ne discernais aucun visage, connu ou inconnu. Ces mains me frôlant, ces lèvres me buvant, ce sexe s'apprêtant à me pénétrer restaient anonymes. Cependant, ma peau se couvrait de sueur, une de mes jambes roula dans la rivière du lit, mes reins se cambraient, mon ventre s'arquait. Et sans avoir une conscience claire de ce que je faisais, ma main releva un pan de ma chemise que des mouvements involontaires avaient retroussée, rampa sur le mont de Vénus, descendit jusqu'au pubis que je découvris tout humecté de rosée. Mes inhibitions, dues tant à mon éducation qu'à l'austérité des lieux où je me trouvais, cédèrent d'un seul coup. Tandis que ma main gauche flattait mes seins, en pinçait les tétons dardés, la droite s'insinuait au milieu de ma fente, et agaçait la crête de chair qui s'y dressait. Mon ventre, comme mû par quelque ressort puissant, avançait et reculait, réclamant un attouchement plus profond. Je pointai le majeur à la base du bourgeon, et poussai une incursion à l'orée de ma grotte d'amour. Il y glissa tout à son aise, happé par les parois trempées de jus. Tout à ma caresse solitaire, j'oubliai tout. J'oubliai qui j'étais, où j'étais, pistonnant mon vagin béant d'un doigt rageur... quand un craquement sinistre me tira de mon rêve éveillé. La mère supérieure venait de faire irruption dans la pièce, me surprenant à moitié nue, les seins à l'air, le majeur enfoui dans le puits du plaisir jusqu'à la paume.

« – Doña Esmeralda, s'exclama-t-elle d'un ton outré, je vous prie de remettre de l'ordre dans votre mise !

« Saisie de stupeur, j'étais restée dans la posture où elle m'avait surprise.

« – Je vous attends après les vêpres dans ma cellule. Je vous ferai alors part de la décision que j'aurai prise à votre sujet, poursuivit-elle sur le même ton. Et elle quitta la chambre, refermant la porte sans bruit.

– Je reconnais bien là l'ardeur de ton tempérament, commentai-je. Ce dont je ne songe pas à te blâmer, du reste. Mais j'avoue que tu as piqué ma curiosité. Je brûle de connaître la suite de l'aventure. As-tu subi un châtiment cruel ?

– Vous le saurez en temps opportun, beau sire. Mais

avant, que je vous instruise de la mère supérieure, sœur Teresa. Le bruit courait qu'elle avait naguère vécu à la cour de Madrid, où on lui avait prêté quelques intrigues amoureuses avec certains hidalgos dont la réputation de galanterie n'était plus à faire. Vers la trentaine, visitée par la Grâce, dit-on – les mauvaises langues prétendaient toutefois qu'elle s'était ruinée en jouant aux dés, et de ce fait ne pouvait plus soutenir son rang – elle abandonna le Prado et, faisant don de ce qui subsistait de son patrimoine à l'Eglise, se retira au couvent. Voilà tout ce que je savais du juge devant qui j'avais à comparaître. Si son passé dissolu l'inclinait à l'indulgence, me disais-je, sa résolution de se dépouiller pour entrer dans ordres plaidait pour la sévérité. C'est dans cet état d'esprit partagé entre l'espoir du pardon et la crainte de la sanction – sinon du scandale et du déshonneur – que j'allais, toute contrite, frapper à sa porte après le dîner, lors duquel ma gorge nouée m'avait interdit toute prise d'aliment.

Poussant la lourde porte de chêne, j'entrai dans une pièce haute de plafond. Pour tout mobilier, un bureau de bois sombre, un prie-Dieu et une étroite couchette poussée dans un coin que surplombait un crucifix.

« – Ma fille, vous avez failli à votre devoir de chasteté, dit-elle d'un ton coupant, se dressant de toute sa taille de derrière la table à écrire où elle compulsait quelque document. Elle me sembla très grande dans sa robe noire, fermée jusqu'au cou. Ses cheveux disparaissaient sous la cornette. Sur le visage pâle, mais non dénué d'attraits – le front et les pommettes hautes, les joues effacées, le nez effilé où les narines palpitaient – ses yeux immenses brillaient : en revanche quelle clarté dans ce regard d'un bleu intense ! On aurait dit une aigue-marine. La bouche, bien ourlée, aurait été belle sans ces deux plis profonds qui en creusaient les commissures.

Après m'avoir laissé le loisir de l'observer sans mot dire, elle enchaîna :

« – Ma fille, votre faute est grave, vous ne pouvez le nier. Je pourrais – et peut-être le devrais-je – vous renvoyer dans votre famille, flétrie par l'infamie de votre conduite.

« – Ma mère, je vous en conjure ! m'exclamai-je.

« – Taisez-vous, ma fille ! Je ne le ferai pas…par pure charité chrétienne. Notre Seigneur n'a point repoussé Marie-Madeleine, la pécheresse. N'en concluez pas, toutefois, que je vous tiens quitte de votre péché mortel. (Dans ses yeux maritimes, je vis une flamme s'allumer.) Vous méritez un châtiment exemplaire. A ce prix est la sincérité de votre repentir. Prenez donc courage, car vous allez cruellement souffrir. Déshabillez-vous !

« L'ordre claqua tel un fouet. J'étais interloquée. J'avais tout imaginé en fait de punition, des neuvaines à n'en plus finir, un jeûne prolongé, des mortifications diverses, mais me dévêtir ! Elle ne me laissa pas le temps de conjecturer plus avant. De nouveau sa voix claqua :

« – Otez vos vêtements sur le champ, vous dis-je, ou je relate au couvent tout entier dans quelle posture je vous ai surprise.

« Hélas ! l'heure n'était plus aux tergiversations. Il fallait s'exécuter, et sans délai. La prenant par l'ourlet, je passai ma robe par-dessus ma tête. J'étais en chemise, les mains croisées sur ma poitrine, la tête basse. Je l'entendis ouvrir un tiroir de son bureau, d'où elle extirpa un fouet à manche de cuir. Du moins étais-je à présent fixée sur ce qui m'attendait. Elle avança vers moi, empoignant le martinet à bout de bras. Quand elle ne fut qu'à une coudée, de l'extrémité de son instrument de torture, elle releva le pan de ma chemise et m'intima l'ordre de m'en dépouiller.

« – C'est ainsi que Dieu vous a faite que vous devez recevoir le châtiment de vos fautes. Agenouillez-vous sur le prie-Dieu, joignez les mains, et priez, mon enfant. Vous allez souffrir pour votre Seigneur Jésus-Christ, qui a enduré les douleurs du calvaire pour les pécheurs tels que vous.

« Tremblant de tous mes membres, j'obéis. Les yeux clos, les dents serrées afin d'étouffer les cris, j'essuyai une pluie d'horions à travers les épaules et le dos. Chaque coup, assené avec violence, me lacérait une portion de peau. Tandis que je ne pouvais contenir mes gémissements, je l'entendais entre deux sifflements de lanière psalmodier comme une litanie : "Tu dois souffrir... Tu dois expier tes péchés... Tu dois endurer la douleur dans ta chair..." Un nouveau coup entama mes flancs. Le bois rugueux du prie-Dieu écorchait mes genoux.

« Au bout d'une éternité de souffrance, elle me fit signe de me relever. Déjà je poussais un soupir de soulagement, croyant à la fin de mon supplice, quand elle m'entraîna vers le lit. Comme prise d'une inspiration subite, elle se saisit de mes mains qu'elle lia à un montant à l'aide de l'embrasse de la tenture.

« Sa respiration sifflait, ses yeux jetaient des éclairs, son visage s'empourprait de je ne sais quelle fièvre, la sueur perlait à son front. Elle leva haut la main, et de nouveau, abattit le fouet sur ma poitrine. Les mèches tranchantes s'enroulèrent autour de mes seins. Je crus bien que mes tétons allaient éclater comme une grenade trop mûre. Je me tordis sous la morsure. Les yeux baignés de larmes, je réprimai un hurlement. Seule la pensée que mes cris alerteraient la population du couvent, qui sans doute se précipiterait et découvrirait le pot aux roses, m'insuffla la force de les rentrer dans ma gorge sèche.

« – Ouvre les cuisses, ordonna ma tortionnaire, les yeux exorbités, hors d'elle.

« – Ma mère, je vous en conjure par la Sainte Vierge, implorai-je.

« – Comment oses-tu invoquer la Mère de Dieu, petite catin ! Ouvre, car tu dois être punie là où tu as péché sans vergogne. Écarte les cuisses, te dis-je, ou j'appelle les sœurs.

« Une fois encore, force était d'obéir. Un coup rapide me zébra du nombril aux genoux. Une lanière prit en écharpe ma vulve, y creusant un sillon en diagonale. Cette fois, c'en était trop. La douleur fut trop cuisante, bien plus que j'en pouvais supporter. J'ouvris la bouche toute grande pour hurler, il adviendrait ce qu'il adviendrait... quand elle se précipita sur moi comme une furie, me délia et, me prenant aux épaules, me jeta en travers du lit. Allait-elle m'étrangler ? Je n'étais plus en mesure de tenter la moindre parade, réduite à l'état de loque. La terreur s'empara de moi.

« Mais que diable faisait-elle ? Elle se coucha sur moi de tout son long. L'étoffe rêche de sa robe irritait ma peau tuméfiée. Ses mains, ses longues mains aristocratiques me parcouraient de la tête aux pieds, n'exceptant rien de mon corps, se fourvoyant dans le pli des aisselles, des genoux, des aines, frôlant mes seins, les soupesant, les pétrissant, en agaçant les pointes du bout de l'ongle. De sa langue dardée, elle léchait les estafilades qu'elle m'avait infligées, geignant :

« – Mon enfant, mon amour... Pardonne-moi... Il y a longtemps que je t'aime, sais-tu... Longtemps que je t'épie, que je te guette... (Sa voix, de plus en plus rauque, sifflait à mes oreilles...) Tu es le démon... l'incarnation de Satan... Je succombe à la tentation... Pardon, Seigneur... Je suis damnée.

« D'un geste fébrile, elle m'avait relevé les cuisses et calé les talons sur le rebord de la couche. A genoux sur le carrelage, son regard halluciné plongeait dans mon entrejambe.

« – Quel amour de petite chatte, hoquetait-elle entre ·deux attouchements. Je comprends que tu veuilles lui faire plaisir, à ce petit chaton tout mignon... C'est une fente de diablesse, je vais la dévorer...

« Et, joignant le geste à la parole, elle saisit de l'une et de l'autre main une touffe de poils pubiens qu'elle tira vers l'extérieur sans ménagement, et engouffra sa langue dans le sillon. Je sentis sa salamandre – longue, rigide, agile – me fouiller, fouetter mon clitoris soudain éveillé, s'immiscer dans mon puits d'amour et y imprimer un mouvement de va-et-vient. Elle en usait comme d'une petite bite, l'enfilait dans ma grotte aussi loin qu'elle le pouvait, la rétractait pour partir à l'assaut de nouveau. Sa salive abondante, onctueuse, rafraîchissait mes brûlures, apaisait peu à peu mes blessures. A mon corps défendant, ma respiration s'abrégeait, devenait de plus en plus rauque. Mon ventre, comme mû par un ressort, s'exhaussait à la rencontre de sa bouche vorace, s'ouvrait à deux battants à sa langue fureteuse. Une source, d'abord ténue, puis débordante, se mit à sourdre de mon fruit, à humecter l'intérieur de mes cuisses qu'elle lapait, déglutissait avec des bruits mouillés. Sa cornette s'inclinait sur sa tête, elle se trémoussait sur moi, ses traits se tiraient, jetant sur son visage un masque de lubricité débridée. Ma peau brûlait de toutes parts. J'étais parcourue de démangeaisons, un prurit s'empara de mon corps, alors que sa bouche ne cessait de me lécher au plus profond, montant et descendant sans relâche le long de la fissure, et sa langue turgescente ne se lassait pas de me fouailler le vagin. Enfin un long soupir s'exhala de mes lèvres, puis un feulement que je réfrénai tant bien que mal, et j'inondai son visage de mon nectar.

« Nous restâmes ainsi un long moment, comme pétrifiées, moi affalée en travers du lit, les cuisses disjointes et les genoux repliés, et elle prostrée sur le carreau, hirsute, le visage d'une pâleur de craie, à marmonner des sons inintelligibles. Elle se releva enfin, les yeux hagards, mon jus dégoulinant encore de son menton, bafouillant :

« – Pardon, mon enfant... Pardon, c'est moi la pécheresse, la putain... Je t'ai souillée de ma bave immonde... J'ai succombé à la tentation du diable... Seigneur, punissez-moi ! J'ai commis le plus mortel des péchés... Châtiez-moi sur l'heure, Seigneur, et que je tombe foudroyée sur le lit du vice...

« Tout en dévidant sa litanie, elle me releva avec des gestes tendres, sécha les larmes qui sillonnaient encore mes joues, quémanda encore et encore mon pardon.

Enfin elle me délia les mains, me jurant son amour, et toujours se battant la coulpe. Cependant elle ne cessait d'implorer du Seigneur un châtiment à la fois exemplaire et immédiat, répétant – sans crainte de la contradiction, tant était grande sa confusion – que nulle expiation ne serait à la mesure de son crime.

« – C'est moi qui vais vous punir, ma mère, m'exclamai-je, excédée par ses jérémiades. Mes blessures s'étaient remises à cuire, maintenant que la volupté de l'orgasme s'était éteinte. Elle allait recevoir la juste rétribution de ses actes, j'en répondais.

« En un tournemain, j'eus tôt fait de lui passer la robe par-dessus la tête, de lui arracher la cornette au passage, et, à mon tour, de lui entraver les mains. Elle était à ma merci, nue ou peu s'en fallait. Libérée, sa chevelure flambait à la lueur des torches, longs copeaux de cuivre ruisselant sur l'encolure svelte. Je dévoilai les hanches opulentes mais fermes, les cuisses pleines, les genoux rougis par les génuflexions. Sous la taille restée fine, le mont de Vénus s'arrondissait en un doux vallon tapissé de toison fauve. Sa posture offerte révélait les buissons dorés des aisselles, tandis qu'une bande de méchante étoffe écrasait ses seins. Je la défis d'une main preste. On aurait dit une statue de marbre, inerte, tout abandonnée à ma volonté. Les globes lourds de sa poitrine jaillirent, d'une blancheur d'albâtre, piquetés de leurs fraises grumeleuses. D'une poussée brutale, je l'étendis sur la couche et, dans le même mouvement, me plaquai contre elle, insérant mes genoux entre ses cuisses qui s'entrebâillèrent. Ainsi, elle ne pouvait m'échapper. Elle réclamait à cor et à cri une punition, j'allais exaucer ses vœux, même si elle ne s'attendait guère au traitement que je lui réservais. Je ne savais s'il agréerait notre Seigneur, mais je gageais, qu'il ne lui déplairait pas, à elle...

« Prenant appui sur les mains posées de part et d'autre de son buste, j'inclinai la poitrine jusqu'à effleurer ses seins et lui imprimai un lent mouvement pendulaire, en sorte que mes tétons dardés traçassent des arabesques sur sa gorge, sur son buste, au creux de ses aisselles, à l'entour de son nombril. Elle ne cessait de hoqueter, de haleter à chaque passage, se dressant sur les coudes pour autant que le lui permettait la tension de ses liens, alors que je prenais un malin plaisir à me dérober d'un mouvement de recul, pour bientôt revenir frôler ses replis et ses reliefs, ses flancs, la douce plage de son ventre où la houle se déchaînait. Je pris son sein à pleines mains, en éprouvai le galbe et le poids, la fermeté et la finesse du grain. Une poire fondante surmontée d'une grosse fraise, que je me retins de téter quoiqu'il m'en coûtât. Jamais je n'avais palpé tétons si tentants, si turgescents, gros comme le pouce et dressés, vibrants. J'empoignai mon propre sein de l'autre main et, avec une perverse lenteur, je pressai mon téton contre le sien, l'en frottai, lui faisant décrire de menus cercles concentriques autour des aréoles qui viraient au violacé.

« – Mange-moi les seins, balbutiait-elle. Mords-les. Enfonce tes dents dans ma chair. Décapite-moi le sein... Dévore mon bout... Mutile-moi, je le veux...

« Je la laissai à son délire, cependant que je plongeai la main entre ses cuisses écartelées. J'ouvris sa vulve entre le pouce et l'index. Grands dieux, quelle chatte de reine ! Un vrai con de pute de haute volée. Une longue crevasse béait devant mes yeux admiratifs, d'un rose nacré, toute trempée de rosée. L'échancrure commençait à la lisière des poils pubiens et, décrivant un arc de cercle, finissait par se perdre dans la vallée creusée entre les dômes jumeaux des fesses. Mais, mieux encore, le prodige résidait dans la fève qui comblait la fente d'un bout à l'autre, longue, effilée, luisante telle la crête d'un coq de combat, frémissante, la coiffant comme un chapeau. Une pure merveille, jamais je n'en vis de pareille. Elle avait dû en enfourner des queues, et de tous calibres ! Je pris un plaisir extrême à y passer et repasser la pointe du sein, tandis que mon bras arrondi en cerceau la maintenait avec peine clouée au lit. Elle propulsait vers moi son cratère béant, où, à petits coups, j'introduisais mon téton tout enrobé de ses sécrétions intimes. Bientôt c'est le mamelon presque entier que j'enfonçai dans sa figue de putasse.

« Ensuite, passant à un autre exercice, j'immisçai mes genoux sous ses cuisses en guise de levier, et abaissai mon bassin de manière que ma nef vint coiffer la sienne. J'ébauchai alors un mouvement tournant qui fit glisser nos clitoris l'un contre l'autre, telles les pierres d'une meule. Je ne cessai de la maintenir fermement aux épaules, tant elle se cabrait, projetait violemment son ventre contre le mien, geignait, suffoquait, éructait :

« – Déchire-moi la conasse ! Éclate-moi le con ! Nique-moi ! Enfonce-moi un bâton dans la chatte ! Je brûle sur le bûcher ! Baise-moi, je t'en supplie ! Bourre-moi la chagatte !

« Ses aisselles, ses flancs ruisselaient d'une sueur tiède que je lapais à petits coups gourmands, comme une chatte une jatte de lait. Son visage s'émaciait, ses traits se tiraient, ses paupières se teignaient de mauve. Elle bavait, hoquetait, haletait, passait la langue sur ses lèvres desséchées, gémissait, réclamait mille supplices, exigeait de moi que je l'étripe, que je l'éventre, tandis que je ne me lassais pas de frotter mon bouton gorgé de sang à sa fontaine débordante.

« Enfin, j'éloignai ma poitrine gluante de sa bave vaginale et m'installai à croupeton entre ses genoux écartés. Elle râlait faiblement, dodelinant de la tête de droite et de gauche, les cuisses ouvertes dans leur plus grand écartement. J'étais fascinée par cette crevasse béante, toute luisante de liqueur laiteuse. L'index et le majeur réunis, je les y introduisis d'un seul coup, d'une seule poussée continue, cependant que, le pouce pressé contre son bouton phénoménal, je lui imprimais une légère vibration. Mes doigts pointés la prenaient ainsi en tenailles, les premiers fouillant sa gaine aussi profondément que leur course le permettait, s'y enfonçant jusqu'à la paume, et le troisième titillant la crête de chair qui se gorgeait de sang, s'enflait, menaçait d'éclater sous la pression de mes doigts qui se mouvaient tout à leur aise dans le fourreau élastique, s'imprégnant du jus qui y coulait à flots. Je la fouissais de plus en plus vite, allongeant l'amplitude de la pénétration et revenant en arrière jusqu'à l'entrée de la faille, d'où je repartais de plus belle, forçant les chairs délicates, pinçant de temps à autre les lèvres charnues sous la fourrure si touffue qu'elle débordait largement sur les cuisses tétanisées. Elle ne touchait le lit que des épaules et des talons, le buste et l'abdomen tendus en arc de cercle, les cuisses raides à en craquer. Des cris gutturaux s'arrachaient de sa gorge nouée, des onomatopées,

des gémissements, des éructations entrecoupées d'obs-
cénités. Son souffle se précipitait. Quant à moi, je
m'étais prise au jeu, mon joyau fumait, le feu y avait
pris comme de l'amadou.

« Mais je ne voulais pas qu'elle jouît. Pas encore. Elle
devait subir jusqu'au bout la loi de mon plaisir. Elle
devait se soumettre, implorer grâce, s'avouer ma chose,
mon esclave. Je désirais la plier à ma volonté. Il était
temps de varier les plaisirs. Extirpant d'un coup sec les
doigts de sa vulve, je les lui enfournai dans la bouche.

« – Goûte ton jus de salope, ordonnai-je.

« Goulûment, elle lécha mes doigts un à un, tantôt les
avalant jusqu'à la glotte, et tantôt dardant une langue
flexible pour les enrober de sa salive, passant et repassant dans les interstices, tandis que son bassin poursuivait sans désemparer son mouvement de bascule, se
haussant et s'affaissant sans trêve.

« Je pris un léger recul et, la prenant sous les genoux,
je lui soulevai les cuisses à l'équerre, de sorte que ses
mollets reposent au creux de mes épaules. La posture
basculée en arrière l'exposait mieux encore à mes des-
seins. Sous la fente écumeuse, l'anus apparut, tout
plissé, entre les masses moelleuses du cul. Je le grattai
de l'ongle, le massai de la pulpe du doigt, éprouvant la
fermeté du muscle circulaire, qui pourtant manifestait
une souplesse de bon augure. Nul doute qu'elle n'était
pas vierge du cul, la grande pute ! Tant mieux ! Le
sphincter céda sans rechigner sous la poussée du majeur
tout ruisselant de mouille et de salive mêlées avec un
bruit de succion. La première phalange glissa sans mal.
Aussitôt elle fut prise dans un étau à la fois prégnant et
souple, tandis qu'elle reprenait ses divagations :

« – Oui, oui, mon amour… Encule-moi… Bourre-moi le cul… Casse-moi l'œillet… Dieu du ciel, que c'est bon ! Ne t'arrête pas, continue de me sodomiser. Il y a si longtemps que mon trou de balle n'a été visité…

« Et ce disant, elle avançait la croupe à petits bonds, afin de s'enferrer mieux encore sur la bite improvisée.

« La deuxième phalange suivit la première, puis tout le doigt jusqu'à la garde. Cependant mon pouce n'était pas en reste, qui ramonait son vagin. Je la possédais en ses deux orifices simultanément. Mes doigts enfouis en elle n'étaient séparés que par une mince membrane. Ils se touchaient presque, jouaient de concert dans les grottes parallèles. Je resserrais la pince, tentant de les joindre à travers l'étroite cloison. Elle ne cessait de pousser des couinements aigus, avançant et reculant le bassin à un rythme vertigineux. Il n'y avait plus qu'à la laisser faire. Elle s'empalait allègrement sur mes doigts par les deux trous à la fois. Ses parois anales et vaginales se contractaient et se relâchaient à la même cadence. Le mouvement s'accélérait sans cesse. Elle était au bord du spasme. Mais une fois encore, je la frustrai et d'un geste brusque, je rompis, dégageant mes doigts de ses profondeurs. Tout son être se convulsionna, ses yeux roulèrent dans leurs orbites, comme si elle était prise de démence. De longs frissons la traversèrent de part en part. Je crus bien qu'elle allait tomber en pâmoison.

« Désormais, ma vengeance était redondant consommée. J'allais la laisser à son sort, en proie à la plus amère frustration, les mains liées de sorte qu'elle ne puisse se satisfaire elle-même. Je m'apprêtais donc à quitter la pièce, quand mes yeux croisèrent son regard halluciné, suppliant. Je ramassai le fouet traînant sur le carrelage et m'avisai que le manche se terminait par un pommeau en forme de phallus. Saisie d'une subite inspiration, je l'empoignai par le faisceau de lanières et le lui enfournai dans la chatte.

« D'emblée il y pénétra de la longueur d'une main. Je le poussai plus avant encore. Dieu que sa moule était profonde, un vrai puits sans fond ! Je voulais lui retourner la matrice. Je voulais la fouailler au plus profond de ses organes. Une nouvelle botte lui arracha un râle du fond des tripes. Ses hanches vibraient, tressautaient, se contorsionnaient au diapason de mon pieu. Encore un petit effort, ma belle catin, et je le poussai encore plus loin. Elle brama un hurlement de douleur. Une larme coula, qui sinua le long de sa narine pincée.

« – Oui, tue-moi, mon amour. Transperce-moi jusqu'au cœur, balbutia-t-elle. Prise de remords, je retirai le pal doucement et, en abrégeant sa course au fond de son vagin, je continuai à le faire aller et venir, avec un mouvement ample et rythmé. Soudain, je le sortis de son fourreau trempé et le lui fourrai dans la bouche. Sans marquer la moindre hésitation, elle se mit à le sucer comme s'il se fut agi d'une vraie bite, l'engloutissant jusqu'au fond du gosier, le roulant autour de sa langue déchaînée. De nouveau, je lui fis lâcher prise, mais ce fût pour le pointer sur son œillet. Je dus forcer quelque peu sur le pommeau pour lui faire franchir le sphincter. Bientôt il amorça sa course dans le boyau anal, et je lui imprimai sa vitesse de croisière, va-et-vient, aller et retour, sans relâche. A présent, le manche presque entier lui défonçait le cul. Il bondissait entre mes doigts, tant elle se cabrait, hennissait, frémissait de

toute sa chair. Les muscles de ses fesses tantôt se dur-
cissaient comme pierres, et tantôt se relâchaient,
s'amollissaient tel un derrière de nourrisson. Je la fouissais toujours plus profond, tenant l'instrument par les
lanières. Elle éructait des mots sans suite : "Encule, oui,
encule-moi encore... Ah! la bonne enculade! C'est
mon petit cul qui est à la fête! Tu aimes bien être sodomisée, hein petite salope... Tu adores te faire casser le
cul par une grosse biroute..."

« Puis, toujours à son délire, échevelée, haletante, elle
poursuivait son soliloque : "Mon Dieu, j'ai envie de
chier... Pedro, mon chéri, laisse-moi chier sur ta grosse
bite... Attends, attends, ne t'en va pas... Laisse-moi
conchier ton pieu... S'il te plaît, ne le sors pas... Je vais
faire caca sur ton bijou..."

« C'est alors que les yeux révulsés, la bouche ouverte
toute grande, elle jouit. Un flot de mouille épaisse submergea sa fente, se répandit sur ses cuisses, dégoulina
le long de la raie des fesses. Une autre vague suivit, puis
une troisième, moins abondante, mais plus dense
encore, mêlée de glaires couleur de crème fraîche. Sa
mousse trempait le manche toujours enfilé dans son
anus, humectant ma main. Je l'essuyai sur ses lèvres
sèches et sur ses seins, dont les pointes se dressaient
pareilles à des fers de lance.

« Pendant qu'elle reprenait ses esprits, je lui arrachai
l'engin et l'introduisit dans ma chatte fiévreuse. Deux
ou trois va-et-vient suffirent, et j'explosai à mon tour.
Ce fut à la fois bref et violent. Je la déliai, lui passai sa
chemise, la mis au lit, et déposai enfin un baiser amical
sur son front exsangue. Elle se laissa faire comme une
fillette obéissante.

« Désormais, elle serait mon esclave d'amour, ainsi que je le lui avais promis. J'en userais à mon gré, et ce jusqu'au jour béni entre tous où les hommes de mon beau prince enlèveraient d'assaut le couvent. Comment aurais-je pu prévoir à ce moment que ce coup de main allait me valoir tant de bonheur ? Les voies de la Providence…

Ainsi conclut-elle son récit.

3

Décidément, cette doña Esmeralda ne manquait pas de ressources. Une aubaine, vraiment. L'agha qui me l'avait ramenée méritait de monter en grade. Je me proposai de le nommer second à bord du navire amiral, afin de remplacer ce pauvre Zulficar Pacha. De même je commanderais au sellier de la saraya de fabriquer un fouet, sur le modèle de celui décrit dans la relation de ma nouvelle favorite. Les châtiments corporels, appliqués avec mesure et à bon escient, sont des épices sans lesquelles les joutes amoureuses risquent à la longue de s'affadir.

Son récit m'avait émoustillé. La nuit était longue encore, et ses suaves effluves se répandaient dans la pénombre, où seuls quelques bougeoirs jetaient d'intermittentes lueurs.

On percevait dans le lointain le gazouillis de l'eau pleuvant sur les vasques d'albâtre.

– Sais-tu ce qu'il est advenu de la mère supérieure ? demandai-je.

– Non, seigneur. Dans la confusion et le tumulte indescriptibles, je l'ai perdue de vue. Elle sera morte, sans doute. Paix à son âme.

– Cette histoire, dis-je, la prenant par le menton et plongeant mon regard dans l'eau sombre de ses prunelles, est-elle véridique, ou l'as-tu inventée pour me complaire ?

– Je ne sais, bien-aimé prince. Vous êtes seul juge…

A ces mots, un sourire équivoque naquit sur ses lèvres, que je cueillis du bout de la langue. Vraie ou fausse, qu'importait. Elle dénonçait chez la narratrice un tempérament volcanique, et j'en étais fort aise. Du reste, l'heure n'était plus au verbiage, mais à la volupté. Déjà ma main flattait son corps offert à ma convoitise. Je ne me lassais pas de l'effleurer, de le frôler, de le pétrir à pleines mains. En vérité, la caressant, c'étaient mes doigts qui se caressaient à sa peau, à sa chair embaumée de musc. Le bel animal que voilà, ronronnant à mes côtés, me disais-je. Sous le satin de la peau se dessinaient des muscles de félin prêt à bondir. Cette panthère cachait ses dents de carnassier sous un visage de madone. Je ne savais si je devais m'émerveiller davantage de la finesse du grain de la peau ou de l'éclat de la carnation, de la fermeté ou de l'élasticité de la chair, de la courbe des pleins ou du creux des déliés. Une vraie statue antique, certes, mais de chair. De chair vivante, nerveuse, toute chaude, parcourue de désirs, irriguée de sang généreux. Et surtout, elle possédait une science innée du plaisir, l'intuition du geste et de l'instant, alternant avec un égal bonheur l'inventivité et l'ingénuité, la perversité et l'innocence, la retenue et l'audace. Une catin de haute volée dans la peau d'une ingénue. Elle comblait tous mes vœux.

Pendant que je la lutinais, elle se gardait bien de rester inactive. Ses longs doigts délicats folâtraient autour de mes couilles, les enveloppaient dans la chaleur de sa paume, les berçaient, les faisaient rouler, tandis que le pouce lissait la base de la hampe. Chaque effleurement m'échauffait le sang comme une rasade de vieux rhum. A ce petit jeu ma lance s'étirait, gagnait en poids et en volume. Le gland gorgé de sang ressemblait à un œuf, scindé sur sa face postérieure par un fin sillon. Œuf étrange, écarlate et presque douloureux à force de tension.

Dans un sursaut de volonté, je m'arrachai à ses doigts trop habiles. Une minute encore et je me répandais comme un jeune marin à l'escale. Le plaisir ressemble à un ragoût, plus il mijote, meilleur il est. Il fallait d'abord qu'elle fasse plus ample connaissance avec mon zob, et lui avec elle. Je me campais à califourchon sur son buste, les genoux plantés de part et d'autre de son cou. Tenant à la main mon sabre tout roide, j'entrepris de lui en caresser le visage, lui effleurant le front, les joues duveteuses, le lobe de l'oreille, l'insinuant entre le menton et le cou, alors que, la tête renversée en arrière, elle gardait clos les yeux pour mieux savourer la caresse. Quand j'eus parcouru à mon gré les linéaments de son visage emprunt d'une expression extatique, je me frottai aux lèvres entrouvertes, y rafraîchissant mon incandescence à sa salive. Elle exhiba alors une langue rose, et un pas de deux s'engagea entre les deux appendices également vibrants, l'un souple, humide et mouvant et l'autre, rigide et lourd tel un pilon.

Je reculai mes genoux d'un cran, et me postai à l'aplomb de ses seins. Au centre de l'aréole plus claire, se dressait le téton dardé que, délicatement, je cueillis entre le pouce et l'index. L'ayant fait rouler entre eux

quelques instants, j'éprouvai qu'il enflait encore, devenait plus turgescent, virait au cramoisi. M'inclinant
légèrement, j'empoignai mon outil de l'autre main, et
mis les deux têtes en vis-à-vis. Le gros champion,
jouant de sa force et de son poids, écrasait le tendre
téton, le ployait dans tous les sens, en avant, en arrière,
de droite et de gauche. Relâchant sa pression, il le laissait revenir à la verticale avec la soudaineté d'un ressort, continuant à le circonscrire en décrivant le cercle
de l'aréole à présent toute hérissée de menues protubé-
rances. Ensuite, c'est au sein tout entier qu'il s'attaqua,
le piquant de la pointe, s'abattant sur lui du plat de
l'estoc, comme s'il s'apprêtait à le tailler en pièces.
L'ayant empaumé par-dessous, je le maintenais à grand-
peine, tant la chair profuse débordait entre mes doigts.
Sa peau s'empourprait, une fine sueur en perlait dont le
zob belliqueux s'oignait. Sa respiration se précipitait, et
dans ses yeux, maintenant grands ouverts, une folle
lueur clignotait.

– Monseigneur… mon amour, bafouilla-t-elle, tran-
percez-moi le sein… Enfoncez votre verge dans ma poitrine jusqu'au cœur… Trouez-moi… Poignardez-moi de
votre dard…

Saisissant ses seins de l'une et l'autre main, je les joi-
gnis au milieu de son buste, ne laissant qu'un mince
interstice où glisser mon chibre. Celui-ci disparut sous
les masses de chair rabattues sur lui. Jamais mon zob
n'avait été enfermé dans prison plus câline, aux parois
plus chaudes, plus élastiques et plus mouvantes.
Amorçant un mouvement d'avant en arrière, je le fis
aller et venir dans cette vallée de velours. Quel plaisir
divin ! Ma dague se mouvait entre les chairs ondoyantes

comme en un fourreau torride, entièrement enfouie
entre les dômes moelleux, s'y caressant sur toutes ses
faces, s'y frottant de toute sa peau, la grosse artère postérieure battant contre la gorge de la belle Andalouse,
qui agitait en cadence son torse pour accentuer la fric-
tion. Seules émergeaient de ce doux tunnel les couilles
dures comme des galets, et le gland qui en bout de
course venait faire incursion dans la bouche entrebâillée, où il s'humectait de salive onctueuse. De temps
à autre la langue s'y enroulait en une vive et prompte
glissade, attisant encore son ardeur.

L'artère pénienne gonflait, battait de plus belle,
menaçait d'exploser, toute congestionnée, tandis que je
ne cessais de la pistonner entre les seins, avec un allant
de plus en plus ample, allongeant la course de l'engin,
dont un bon tiers maintenant s'engouffrait dans la
bouche accueillante.

D'un brusque recul, je m'en dégageai. Il était grand
temps ! L'animal eut quelques soubresauts, se cabra de
colère dans la main qui l'avait frustrée. Un instant de
plus et je me répandais au fond de la gorge avide. La
gente dame esquissa un geste de protestation, un « oh ! »
de déception, mais elle avait déjà appris à se soumettre
au moindre de mes désirs. Aussi seul son regard navré
dénonça sa déconvenue.

La prenant par la taille, dont mon bras eut vite fait le
tour, je la retournai sur le ventre. C'est son envers que
j'avais hâte d'explorer pour l'heure. Celui-ci, du reste,
ne le cédait en rien à l'endroit. Sur sa nuque croulait la
chevelure dont le henné avait avivé l'éclat. On aurait dit
une jonchée de copeaux de palissandre. Sous la rondeur
des épaules, le dos descendait tout droit entre les flancs

creusés, puis se cambrait à la chute des reins en deux
mappemondes jumelles, pareilles à des melons gorgés
de suc. Et, prolongeant la cassure des fesses joufflues,
deux cuisses fuselées suivies de deux mollets de pouliche de belle race. La finesse des attaches, alliée à
l'opulence des formes et à l'harmonie des proportions,
n'en finissait pas de me fasciner. Je ne me lassais pas
d'admirer ce tableau de maître, alors qu'ayant replié
son bras avec grâce, elle y posait la tête, et faisait mine
de s'assoupir.

Elle n'allait pas tarder à se réveiller, j'en prenais le
pari. Ramassant la masse de la chevelure, je la ramenai
au sommet du crâne, et l'ayant ainsi dénudée, me mis à
titiller la nuque du bout de la langue, à la lisière des
cheveux.

De temps à autre, j'y appuyai les lèvres en un baiser
prolongé, les y brûlant au contact de la peau torride. De
petits frissons lui parcouraient l'échine. Je léchai ses
épaules l'une après l'autre, puis laissai ma bouche déva-
ler la pente de sa colonne vertébrale avec autant de lenteur que de ferveur. J'observai une halte au creux des
reins, pour y déposer mille baisers menus, agrémentés
de coups de langue furtifs.

D'une paume légère mais non moins enflammée,
j'effleurai les collines jumelles des fesses, séparées par
un défilé aussi profond qu'échancré haut entre les versants dévalant en pente douce vers les cuisses. Mes
mains épousaient les rondeurs charnues, les enveloppaient, s'émerveillant de la courbe, de la densité, de la
finesse et du satiné de la peau.

Mais je ne voulus pas m'y attarder davantage. Pas
encore. J'avais d'abord à explorer l'envers des cuisses,

la pliure des genoux où une veine d'un bleu pâle courait, le fuseau svelte des mollets, où je laissai errer mes
lèvres et ma langue, sans hâte. Elle s'arc-boutait à la
couche comme à un radeau roulé dans la tempête, tout
le temps que je la lutinais, la mignardais, la frôlais,
l'enflammais comme si elle eût été sculptée dans l'amadou. Enfin, je pris ses orteils que je suçai un à un, insinuant le bout de ma langue dans les interstices, me
délectant de les rouler dans ma bouche comme s'il se
fût agi de loukoums. De longs frémissements l'agitaient
de la tête aux pieds, ses muscles se tétanisaient et se
relâchaient tour à tour, un râle profond montait de sa
poitrine. De temps en temps, un gémissement plus aigu
fusait, semblable au cri d'une fillette en proie à quelque
terreur nocturne.

Maintenant, je lissai la face interne des cuisses,
remontant vers la source, où la peau s'affinait à en
devenir presque translucide. J'y lapai les flaques de jus
exsudant de la faille béante du fait de l'écartement des
jambes au grand compas. Tout à coup, avec cette intuition innée à laquelle j'étais accoutumé désormais, elle
se dressa d'un bond. Un instant désarçonné, je la vis en
un éclair s'accroupir, les coudes plantés dans les draps,
les bras repliés sous le buste, les reins cambrés et les
fesses ouvertes à mes investigations. Au milieu de la
plénitude des globes de chair, se creusait la vallée, profonde, encaissée entre les deux falaises fuyant vers le
tertre renflé de la chatte où la languette rose brillait
parmi la broussaille de jais. Et juste à l'orée du buisson,
l'huis tant convoité de son jardin secret. Par Allah le
Clément, le bel œillet que voilà, d'un ton de nacre, rond
comme l'œil, et tout plissé. Les pétales en étaient si serrés

que la posture écartelée ne parvenait pas à l'entrouvrir. C'est cette délicate serrure de chair que j'entendais forcer, et sans plus attendre. Là se nichait le défaut de la cuirasse de ce corps de déesse païenne, là, l'antre de ses désirs inavoués, là, la clef de son coffre au trésor.

Je m'agenouillai derrière elle et, les deux pouces encadrant la porte dérobée de sa crypte cachée, j'exerçai une légère pression vers l'extérieur. C'est à peine si elle s'entrebâilla, où j'insérai une langue effilée. Elle plia mieux encore l'échine, s'affaissant un peu plus, afin de mieux s'exposer à l'outrage. Des borborygmes gargouillaient dans sa gorge, tandis que du plat de la langue je titillai la faille sur toute sa longueur, la vrillant dans le minuscule orifice et à l'entrée du vagin tour à tour. Alors, elle amorça un mouvement de bascule d'avant en arrière à chaque passage de ma langue dans la raie et la fente, qu'elle tentait de capturer par un resserrement spasmodique des fesses. Quand j'eus bien arrosé la vallée de ma salive, je pris position pour l'assaut. Mais rusant, je ne l'attaquai pas de front, mais enfonçai mon soc dans son sillon qui me reçut avec un chuintement mouillé. Il me sembla percevoir un soupir de déception. Patience, ma belle, tu ne perds rien pour attendre, me dis-je.

Après quelques allers et retours où mon zob se lubrifia généreusement, je le retirai de la grotte glissante, et le pointai sur l'anneau. J'en usai d'abord comme d'un pinceau, passant et repassant sur l'œillet, le frottant aux pétales plissés, afin de le mieux apprivoiser, de lui faire sentir le poids, le volume de l'assaillant, sa force et sa chaleur.

A la première charge, la lance plia, ne pénétrant pas

d'un pouce. Elle étrangla dans sa gorge un cri de douleur, mais loin de se dérober, accentuant sa prosternation, elle jeta les bras en arrière, et saisissant ses fesses à pleines mains, elle les écarta mieux encore, de sorte que l'anus s'en trouva exposé sans défense à une nouvelle attaque. Je pris un léger recul et, bien campé sur les genoux, les cuisses bandées, le saisissant à la racine, j'imprimai au bélier une pression à la fois ferme et continue. La tête huilée de sève força lentement la bague toute neuve. Peu à peu les pétales se dépliaient, et je pénétrai en conquérant dans la place forte.

Le plus dur était fait. Je réfrénai l'ardeur du boutefeu, observant une pause dans la progression, maintenant le fer de lance à peine enfoncé au ras de la garde afin qu'elle s'habitue à l'intrusion. Et que son vestibule se dilate pour héberger mon gourdin. Mais elle ne l'entendait pas de cette oreille, se mettant à rouler des hanches, à cambrer les reins par saccades afin d'avaler l'intrus à moitié engagé dans l'huis. D'une nouvelle poussée, je lui donnai satisfaction et l'enfournai tout entière. Mes couilles vinrent buter sur sa raie, ses fesses se nichèrent dans mon giron, mes mains s'agrippèrent à ses flancs frémissants.

– Enculez-moi bien à fond, fit-elle entre deux râles. Mettez-la moi toute... Je la veux jusqu'au fond... Ne m'épargnez pas... Cassez-moi le cul... Pétez-moi l'œillet...

Ses incitations étaient superflues. Ma queue galvanisée par le frottement s'était frayée un étroit chemin dans son boyau. Elle s'employait à présent à élargir le passage, à rendre la voie plus aisée, et elle se donnait à la besogne avec ardeur. Mon zob, engoncé entre les parois souples, échauffées, ruait, se cabrait, avançait par petits bonds, reculait pour prendre un nouvel élan et mieux regagner le terrain perdu. Le mufle loin en avant-garde forait, fouillait, forçait les chairs encore vierges, et les couilles, pendant derrière, battaient, s'y frottant. Et la sarabande se déchaîna. Ma bite abrasée virait à l'écarlate, pistonnant sans relâche l'anus qui se projetait à sa rencontre avec vaillance, et sans souci de la douleur.

– Enculez-moi, ne cessait-elle de hoqueter... Sodomisez-moi ! Plus fort, plus fort encore... Plus loin... Je veux vous sentir au fond de mon ventre, tout au fond... Ah ! Dieu tout-puissant, que c'est bon, cette queue qui me vrille les viscères... Qu'elle est bonne. Comme elle me fait du bien... Je jute, je jute... Pissez-moi dans la raie... Inondez-moi le fondement... Je veux sentir votre foutre dans mon estomac... Vous sentez mon jus couler sur vos couilles ?

Oui, ma toute belle, je le sentais. Une véritable inondation, j'en étais trempé. Ou plutôt un bain de jouvence, qui ne cessait de sourdre pendant que je ne discontinuais pas de la perforer. Fou d'excitation, je la fouaillais sans trêve, la sabrais sans pitié à grands coups, comme si j'avais voulu saccager ses tripes, lui enfourner mes boules à la suite de mon zob, lui ouvrir une brèche profonde au milieu des intestins. Je voulais – ô folie de l'extrême désir – qu'elle me chie sur la bite. Je voulais niquer sa merde toute chaude dégoulinant du tréfonds de son cul, alors qu'elle ne désemparait pas de frétiller de la croupe, de limer ses fesses sur mes cuisses, de s'empaler encore et encore. Mes mains agrippées à ses hanches, j'y enfonçais les doigts comme des serres. Secondant son mouvement, je la heurtais sur moi pour la pénétrer plus avant, la poussant à chaque retrait à seule fin de la lui enfourner mieux encore dans le cul, de plus en plus dispos et mouvant. Ainsi la masse tendre et houleuse des fesses pressurait le manche d'un bout à l'autre, le massait de toutes parts, le branlait du gland aux bourses. J'étais pris dans un fourreau de chair torride qui, pas un instant, ne cessait de s'agiter, de me pétrir, de me traire. Je crus bien qu'à force de frottements, la peau de mon braquemard allait éclater, être réduite en lambeaux. Mais m'eût-on écorché vif, je n'aurais pas un seul instant interrompu ma sape.

J'aurais juré qu'elle mouillait du cul, tant mon zob y manœuvrait à son aise, tant il y coulissait à son gré. A une ou deux reprises, je déculai pour le seul plaisir de forcer à nouveau l'anneau rétractile, au centre duquel à présent luisait un œil humide de sirop. Toujours prosternée, elle se saisit de ma main qu'elle engloutit dans sa bouche, léchant la paume, faisant courir sa langue agile entre les doigts. Et la folle chevauchée repartit de plus belle, ponctuée par mes han de bûcheron et ses feulements de louve en rut. Mon nœud s'enfournait dans le conduit anal jusqu'aux testicules, pendant que mes doigts folâtraient avec sa langue, exploraient son palais, enrobés de salive onctueuse.

Cette nouvelle perversité déclencha l'orgasme. Une houle se leva dans mon ventre, submergea ma poitrine, puis éclata dans ma tête en une gerbe d'éclairs. Un feu d'artifice illumina la pièce. Mes couilles n'arrêtaient pas de se vider dans son fondement, par spasmes successifs. Un vrai tonneau des Danaïdes. Au moment où je les croyais asséchées, une nouvelle convulsion les traversait, les faisait dégorger une nouvelle giclée. Je demeurais ancré au fond de son antre secret, secoué de frissons, le sperme coulant de moi à gros bouillons dans son conduit avide, qui se contractait et se relâchait tour à tour comme une bouche. A la fin, brisé, hors d'haleine, je m'effondrai, la tête sur son échine, où je posai mes lèvres altérées.

Longtemps nous restâmes dans cette posture, elle toujours accroupie et moi affalé sur elle. Ma queue refusait de débander, à demi enfouie dans son cul. Enfin, elle s'amollit, se rétracta et retomba le long de sa cuisse. Je basculai sur le côté, mais j'émergeai bien vite de ma torpeur, car, d'une preste reptation, elle se jeta sur mon zob tout dégoulinant de sperme mêlé de débris de matière fécale et se mit à le sucer à pleine bouche. Quand elle me le rendit, il brillait comme un sou neuf.

– Mon bonheur est complet, murmura-t-elle avec un soupir d'aise, alors que je pantelais encore. Je vous ai donné ma dernière virginité, à défaut de la première. Maintenant, je vous appartiens sans partage. Faites de moi ce que bon vous semblera. Je suis et resterai votre esclave soumise.

Voilà bien le langage que j'attendais d'elle. Passant le bras autour de ses épaules, je la serrai contre moi, mêlant ma sueur à la sienne. Nous nous restaurâmes de fruits frais, dégustâmes des sorbets. J'allumai mon narguilé à une braise, et nous causâmes jusqu'à ce que le sommeil commençât à alourdir nos paupières. Avant qu'elle se retirât, je lui fis don d'un collier de perles d'Aden du plus bel orient, afin qu'elle en parât ce corps qui me procurait des plaisirs si intenses.

Le cheikh de la tribu des Zlass – notoirement connue pour sa bravoure et son hospitalité où je recrutais bon nombre de mes guerriers – me fit mander un messager porteur de la présente épître :

Au nom d'Allah le Clément, le Miséricordieux.

Le salut et la prière sur le plus noble des prophètes.

A Ramzi Pacha, kapoudan de la flotte de Tunis, qu'Allah lui conserve son affection, et après un salut parfumé.

J'ai ouï vos exploits sur mer et sur terre, et les innombrables victoires par vous remportées sur les infidèles. Votre courage et votre science de la guerre défraient la chronique de la cour du sultan, de même qu'elles constituent l'inépuisable source des contes narrés par les fdaouis, *tant sur les places que dans les mosquées. Vous nous feriez grand honneur en venant passer quelques jours sur nos terres, afin que les hommes de ma tribu puissent entendre de votre bouche véridique le récit de vos glorieux faits d'armes. Ma modeste demeure est la vôtre, mes biens sont votre propriété, mes gens sont vos esclaves dévoués.*

En conclusion, recevez les meilleures salutations de celui qui élève très haut votre considération, Abd er-Rahman ben Jelloul ben Mokhtar al-Zlassi, cheikh de la valeureuse tribu des Zlass, en ce troisième jour de jou-mad de l'an 1175 de l'hégire.

La bienséance commandait d'accepter l'invitation. J'ordonnai donc d'harnacher une demi-douzaine de dromadaires et de charger leurs bâts de miel et de beurre salé. J'ajoutai six robes d'apparat aux parements brodés de fils de soie avec leurs ceintures assorties pour le cheikh, un mousquet à la crosse décorée de filigrane

d'argent et une dague de Tolède à la garde incrustée de
pierreries. Je n'oubliai pas les épouses et les concubines, à l'intention desquelles je fis emballer quelques
coupons de taffetas et de soieries de Damas.

Le lendemain à l'aube, je fis mes adieux à mes gens –
car celui qui part ne sait s'il reviendra – et, monté sur
ma jument Zina, je me mis en route avec une petite
escorte de janissaires. Le ciel d'octobre rayonnait de
lumière dorée. Les villages et les bourgades se succédè-
rent sans embûches – grâces soient rendues au Seigneur
des Deux Mondes – et, de fondouks en oukalas, où
bêtes et gens prirent quelque repos et se restaurèrent,
nous fûmes à la lisière de la terre des Zlass, où le cheikh
nous réserva un accueil digne de son hospitalité prover-
biale.

Sur la place publique, on avait dressé une tente spacieuse en mon honneur, toute rutilante d'étoffes chatoyantes et de tapis de haute laine. On y avait disposé
pour ma commodité un large divan jonché de coussins,
une table basse de cuivre. Une aiguière et un broc
d'argent niellé d'or complétaient le décor. C'est là que,
trônant à la droite du cheikh, je reçus les chefs de clans,
les capitaines, le médecin de la cour et le poète officiel.
Une paire d'heures s'écoulèrent en salamalecs, en discours de bienvenue, auxquels je répondis par de
vibrants remerciements et actions de grâce. Puis on
passa à des considérations moins cérémonieuses sur
l'état des récoltes et la gloire du sultan notre maître, et,
pêle-mêle, la supériorité de nos flottes, la vaillance de
nos soldats et la transcendance de notre foi. Pour clore
les débats, le chantre de service me dédia un poème
dans lequel il me comparait à la fois à Tarik – le

conquérant de l'Andalousie – et à Okba – le fondateur de Kairouan.

Le protocole prévoyait ensuite une fantasia. Les cavaliers s'élancèrent, virevoltant sur leurs montures richement harnachées, dont les sabots soulevaient la poussière, arrachaient des étincelles à la pierraille. Des salves claquèrent en signe de liesse, alors qu'installé sous un dais, je tirais de longues bouffées parfumées d'un narguilé à embout d'ivoire

A la nuit tombée, un banquet fut servi par des servantes voilées. Le méchoui fut succulent, l'agneau à la broche rôti à point, le couscous savoureux, tout imprégné d'épices et d'aromates. En guise de dessert, on apporta des jattes de lait de chamelle où trempaient des dattes dénoyautées, avec des gâteaux de sorgho fourrés de raisins de Corinthe. Le tout arrosé de sève de palmier.

La nuit fourmillait d'étoiles. La brise se leva, rafraîchissant l'atmosphère. Exhaussé sur une estrade, l'orchestre accorda ses instruments, préluda. Trois almées s'avancèrent, vêtues de *mélias* rutilantes, qui évoluèrent au rythme de la *darbouka*. Elles se déhanchaient, se contorsionnaient, leurs bras ondulaient comme des serpents, leurs pieds où tintaient de lourds bracelets de cheville en argent effleuraient à peine le sol, leurs seins tressautaient sous la fibule. L'une d'entre elles retint mon attention. Sa peau d'ambre luisait comme si elle avait été huilée, ses prunelles sombres tantôt jetaient des éclairs, tantôt filtraient un regard langoureux. Son nombril dénudé entre le bustier et le saroual clignait tel un œil plein de luxure. Une mulâtresse sans doute. La chaleur de son sang lui courait à fleur de peau. Cependant, mon intérêt pour la danseuse ne dut pas échapper à la perspicacité du cheikh, qui me glissa dans le creux de l'oreille :

– Celle qui semble s'honorer de la faveur de notre seigneur s'appelle Aziza. Elle ne fait partie de mon harem que depuis trois lunes à peine. Elle a le don de la danse, n'est-ce pas ?

– Assurément, noble cheikh, répondis-je. Elle ne déparerait pas les divertissements de notre maître le Bey.

Le spectacle se poursuivait au son des mélopées entrecoupées de solos de flûte de roseau. Les réjouissances terminées, je pris congé de mon hôte et me retirai sous ma tente. Ayant fait mes ablutions et la prière du soir, je m'apprêtais à m'abandonner au repos, quand une ombre furtive se glissa sous la tente. Déjà je dégainais mon sabre lorsque l'intrus se dépouilla du burnous qui l'enveloppait de la tête aux pieds. Et, à mes yeux incrédules, apparut Aziza, l'almée qui avait suscité mon admiration.

– Mon vénéré maître, le cheikh Abd er-Rahman, m'envoie auprès de vous pour s'enquérir si votre logement vous agrée, dit-elle d'une voix mélodieuse. Que votre seigneurie émette le moindre désir, et il sera sur l'heure exaucé. Entendre, c'est obéir.

Durant toute la tirade, elle avait gardé les yeux baissés, en signe de soumission.

– Que le vénérable cheikh soit rassuré, belle houri, répondis-je. Son hospitalité surpasse sa réputation. J'ai seulement besoin d'un peu de compagnie, afin de soulager mon cœur de la nostalgie des miens.

Ce disant, je lui pris la main et l'invitai à prendre

place à mes côtés. Elle avait gardé sa vêture de danse, laissant les bras et la gorge à découvert. Sous la chevelure d'ébène, le visage rayonnait, comme ciselé dans le cuivre. Les lèvres semblaient une grenade éclatée, entre lesquelles les dents jetaient des feux de perle. La peau de sombre satin la revêtait d'une étoffe si délicate que j'hésitai à y porter la main.

Mais je n'eus pas à le faire car, ployant soudain la taille, elle dégrafa d'une main preste son corsage qui tomba au pied du divan, bientôt suivi par le saroual. Les tétons jaillirent, tels deux grains de raisin noir au centre de leurs aréoles bistre. J'aperçus le ventre à peine bombé s'effilant sur le triangle défendu par une fourrure d'astrakan, les hanches d'amphore et la croupe nerveuse, évoquant deux pommes pendues à la même branche.

Sans plus attendre, elle prit l'initiative et, d'une main douce mais ferme, me poussa sur la couche, me suivant dans ma chute et l'amortissant de ses bras grands ouverts. Une bouffée de musc s'exhala de ses aisselles. Aussitôt elle prit possession de moi, me déshabilla en un tournemain, effleurant mes épaules, mon torse, mon ventre d'une main à la fois chaude et légère. Avant même d'en prendre conscience, j'étais en pleine érection.

– Comme votre seigneurie est prompte à brandir son arme ! susurra-t-elle tout en poursuivant ses attouchements. Avec votre permission, je dirai que votre grâce est un étalon de belle race. Par Allah, je vois là une virilité capable de faire le bonheur de maintes gentes dames !

Les yeux clos, je m'abandonnais à ses mains

expertes. Elles ne cessaient de voltiger, se posant ici puis là, tel oiseau sautant de branche en branche, de rameau en rameau. Pas une seule parcelle de ma peau qui ne fût caressée, frôlée, lissée, embrasée. Puis sa bouche humide se mit de la partie, léchant, suçant, titillant, mordillant là où ses doigts avaient imprimé leurs sillages brûlants.

Elle me fit me retourner sur le ventre, soumettant mon envers au même traitement que mon endroit. Sous ses mains et sa bouche, ma nuque, mes épaules, mes flancs et mon dos s'embrasèrent. Une pluie de mignardises me submergeait. Sa langue dardée ne se lassait pas de me parcourir, de se prélasser au creux de mes aisselles et de mes aines, lors même que mon sabre gorgé de sang battait contre mon abdomen, zébré d'élancements. Elle se saisit ensuite de mon pied qu'elle se mit à lécher, d'abord la plante et le talon, puis le coup du pied pour enfin gober dans sa bouche les orteils un à un, les sucer, insérer une langue fureteuse dans les interstices. Cette dernière audace mit mon sang en ébullition, mille picotements escaladèrent mes couilles soudain à l'étroit dans leur bourse de peau, montèrent à l'assaut de la hampe érigée qui me sembla un os surgi de mon ventre, grouillèrent sur le gland vibrant. L'effet conjugué de la caresse buccale et de la canicule qui enflammait mon corps me survoltait, me dévorait, m'incendiait les viscères. Je me retenais de toutes mes forces pour ne pas la saisir à bras le corps, la renverser et m'enfoncer en elle, la poignarder de ma dague sans autre forme de procès. Mais je savais que l'attente décuple le plaisir. Aussi, livré corps et âme à l'ardente danseuse, je savourais ces prémices qui auguraient d'une suite fort voluptueuse. Je continuai donc à me consumer dans le brasier de ses caresses et de ses attouchements.

Soudain, d'un coup de reins félin, la voilà qui s'empare de ma bite. D'une main aérienne elle flatte délicatement les glandes gonflées, les palpe, les empaume, et serrant les doigts remonte la colonne, enveloppe le gland, redescend, se penche, et toujours brandissant le gourdin, le frotte sur la pulpe écarlate de ses lèvres entrouvertes, le fouette de sa langue agile, l'engloutit, le masse entre l'intérieur de ses joues et sa langue, l'avale enfin jusqu'à la racine. Je tressaute, me tends, tel un arc bandé.

Comme un geyser, la lave bouillonne dans mon zob affolé, je vais jouir, j'abdique toute maîtrise de moi-même, quand elle ouvre toutes grandes les mâchoires, le laissant sur sa faim, verni de salive, pantelant. Jusqu'à quand fera-t-elle durer ce supplice?

Mais voici qu'elle m'emjambe, mais à rebours, la tête tournée vers mes pieds. Elle s'agenouille sur mon ventre, tandis que je me délecte du spectacle de sa chevelure croulant sur son encolure, de son dos gracile, de la masse opulente de ses fesses écrasées contre mes cuisses. Même pas le temps de savourer la posture que ma lame s'engouffre au fond de sa grotte, enfoncée jusqu'à la garde. Elle préluda par un mouvement de haut en bas, soulevant la croupe et l'empalant sur le pieu, l'engloutissant tout entier, le massant entre les parois de sa gaine lubrifiée. Fasciné, je voyais ses fesses pleines s'élever et s'affaisser, et au centre de la mappe-monde de chair, la fleur sombre déplisser ses fines nervures. Puis, après avoir ainsi évalué la longueur du pal, elle se mit à se mouvoir d'avant en arrière.

Les lèvres de sa chatte goulue et la raie de son cul vinrent riper sur mon pubis tout trempé des sécrétions qui s'écoulaient d'elle. Une étrange mélopée s'exhalait de ses lèvres, alors que ma toison lui cardait le bourgeon – une longue plainte rythmée à la cadence de la chevauchée. Je sentais son fourreau se contracter sur mon boutefeu par saccades de plus en plus vives, de plus en plus syncopées, l'étrangler tour à tour et relâcher la pression, pour aussitôt l'enserrer de nouveau de son délicieux nœud coulant de chair soyeuse. Tout à coup, le sperme gicla avec un râle arraché à mes tripes pantelantes. Son coquillage se révulsa sous le jet, ne cessant de se convulser jusqu'à ce que la dernière goutte eût jailli, l'inondant.

Cependant elle demeurait accroupie sur moi, maintenant la queue profondément fichée dans son gouffre enchanté pesant de tout son poids de chair afin d'éviter d'être désarçonnée par mes ruades. Peu à peu, nos souffles s'apaisèrent. Alors seulement elle consentit à me libérer et, basculant sur le côté, elle recueillit du bout des doigts le suc qui dégorgeait de sa fente, et le porta à la bouche. Longtemps elle s'en pourlécha, comme si elle eût dégusté une coulée de miel, tandis que les battements de mon cœur décroissaient lentement.

En témoignage de reconnaissance, je voulus lui offrir la bague que je portais à l'annulaire. Elle la refusa le plus courtoisement du monde. Elle n'acceptait d'offrande que de son maître, le cheikh.

4

Les trois jours de l'hospitalité traditionnelle écoulés, je regagnai ma résidence sans encombre. Certes l'intermède de l'almée m'avait diverti, mais j'avoue qu'il me tardait de retrouver ma belle Andalouse.

Le harem et la domesticité fêtèrent mon retour comme il se doit. Il y eut grand carnage de moutons accommodés en couscous et ragoûts de toutes sortes, en tajines variés, le tout agrémenté de sirops et de sorbets aux fruits de saison.

Après la bombance, la musique. L'orchestre s'installa sur une estrade, comme je prenais mes aises sur une large ottomane toute revêtue de brocard, parmi une profusion de coussins tendus de soie. A ma droite et à ma gauche, le grand chambellan et le chef de la garde du sérail, le secrétaire et l'intendant du domaine formaient l'aréopage, assis en tailleur sur des tapis de haute laine. On avait réservé aux femmes une pièce adjacente, séparée de la salle par une légère tenture, d'où elles pouvaient jouir du spectacle à l'abri des regards.

Le luth jeta quelques accords en guise de prélude. L'orchestre reprit le thème avec plus d'ampleur, puis une chanteuse entonna un chant de bienvenue, louant le Plus-Grand d'avoir veillé sur mon retour parmi les miens. D'autres chants suivirent, des chœurs andalous, des épithalames, des mélopées langoureuses au son de la flûte et des sarabandes déchaînées au rythme des percussions, que soulignaient les ondulations des danseuses aux hanches frémissantes. Dans les interstices de silence, on entendait bruire les fontaines des patios, tandis que le parfum du jasmin la fumée des narguilés s'entrelaçaient. Vers minuit, les réjouissances s'achevèrent en apothéose sur un hymne vibrant de longue vie et de prospérité.

Je n'avais pas plus tôt regagné mes appartements que je fis quérir doña Esmeralda. A ma grande surprise, elle ne vint pas seule. Une jeune fille lui faisait escorte, à demi cachée derrière ma favorite qui, la prenant par la main, la poussa au milieu de la chambre.

— Bienvenue à sa seigneurie en sa demeure, dit-elle d'un ton enjoué. L'heureuse annonce de son retour à fait s'épanouir les fleurs qui se fanaient en son absence. Puis-je présenter à mon bien-aimé maître ma jeune suivante, Inès ? Peut-être daignera-t-il se souvenir que je l'ai déjà entretenu à son sujet, lui disant sa fidélité sans faille et son dévouement sans bornes.

— Certes, certes, doña Esmeralda. Je n'ai pas oublié ce que tu m'as narré de cette jeune personne, comment elle te suivit au couvent, puis en captivité. A présent qu'elle se trouve de nouveau attachée à ta personne selon tes vœux, est-elle satisfaite de son sort, ou bien a-t-elle quelque requête à me soumettre ? Avec ta recommandation, elle ne peut qu'être exaucée sur l'heure.

— Mille grâces, monseigneur. La seule récompense que convoite Inès est de vous plaire.

La brunette se blottissait contre sa maîtresse, tout intimidée. Dix-sept ou dix-huit ans, pas davantage, une frimousse émergeant à peine de l'adolescence, des traits qui manquaient encore de fermeté, mais un regard limpide, une chevelure de jais retenue sur la nuque par un peigne d'or, une encolure gracile et une taille de guêpe mise en valeur par la tunique turquoise ceinturée ton sur ton.

Nous prîmes place sur le sofa, moi au centre, et les deux femmes de part et d'autre. Sur un geste de sa maîtresse, Inès servit le xérès, et nous devisâmes.

– Cette enfant a tout à apprendre, déclara doña Esmeralda. Si sa seigneurie le désire, nous allons faire son éducation.

Joignant le geste à la parole, elle releva la suivante toute rouge de confusion, et, se plaçant derrière elle, entreprit de dégrafer son vêtement. Les épaules fragiles apparurent d'abord, puis le buste, les hanches, les jambes. La jeune fille n'avait plus que sa chemise, que mon ardente Andalouse saisit par l'ourlet pour, d'un geste d'une perverse lenteur, l'ôter par le haut. Elle dévoila ainsi les cuisses nerveuses au confluent desquelles s'inscrustait le petit bijou protégé par une fourrure serrée, les hanches rondes s'évasant sous la taille étroite, et enfin – ô divine surprise ! – des seins splendides. On aurait dit deux belles poires – de ces poires fondantes d'automne – attachées haut, gorgées de suc, dardant deux tétons roses de la grosseur de la dernière phalange de l'auriculaire. L'effet érotique de cette poitrine somptueuse était d'autant plus saisissant qu'elle se greffait sur un corps infantile. L'autre passait déjà les bras sous les aisselles de la donzelle, et prenant les mamelles à pleines mains, me les présenta comme des fruits dans une corbeille. Une bouffée de chaleur me parcourut de la nuque aux talons. Puis, après m'avoir laissé tout loisir d'admirer l'endroit, elle la fit doucement pivoter, afin de m'en faire apprécier l'envers, sous toutes ses facettes.

Par Allah, le revers ne valait guère moins que l'avers ! La masse compacte des fesses bien séparées par une raie profonde et nette comme un coup de sabre, contrastait avec bonheur avec la sveltesse du dos et des flancs.

Ma queue ruait sous la djellaba. Déjà je me précipitais sur la suivante pour en palper les pulpeuses rondeurs, quand l'Andalouse tempéra mon ardeur.

— Si sa seigneurie daignait prendre patience, la cueillette de cette jolie fleur n'en serait que plus délectable, susurra-t-elle en se blottissant contre moi.

Et ce faisant, elle s'interposait habilement entre mon impatience et la proie qui, dans une attitude de pudeur, croisait les bras pour cacher sa poitrine.

— Cette enfant est aussi innocente qu'un nourrisson, fit-elle en souriant d'un air indulgent. Elle doit s'instruire pour se rendre digne de la couche de notre prince. Voulez-vous que nous lui donnions sa première leçon ?

Et elle se mit aussitôt à l'œuvre, son corps pressé contre le mien, ses bras en collier autour de mon cou. Ses lèvres butinèrent ma bouche, la cuisse insérée entre mes jambes effleurant mon membre d'une pression de plus en plus appuyée. En un clin d'œil, nos vêtements tombèrent sur le tapis. Nos langues nouées s'affrontaient, se contorsionnaient, virevoltaient de concert. Elle buvait ma salive, avalait ma langue que j'enfonçais dans sa gorge jusqu'à la glotte. Je la parcourais tout entière sans relâche, lui palpais les seins, les pétrissais entre mes mains comme une pâte, agaçant le téton, le roulant, éprouvant sa turgescence, excité de le voir se dresser sous mes doigts, de percevoir sa vibration. J'explorai la douceur moite des aisselles, frôlai le creux des flancs, effleurai la courbe des hanches, coulai la main jusqu'à la vulve que j'entrouvris entre le pouce et l'index, poussai une incursion à l'entrée du fourreau que je trouvai tout humide de rosée.

J'avais déjà oublié la suivante. Je ne pensais plus qu'à prendre mon ardente Andalouse, à lui enfourner mon dard jusqu'à la garde. Mais elle ne l'entendait pas de cette oreille, me renversa sur la couche et d'autorité se saisit de mon zob, et, agenouillée sur la carpette, se mit en devoir de le pomper. Et pour cela elle avait l'art et la manière ! D'abord, ne se préoccupant que du gland, elle le lissa de la langue sous toutes ses faces, le lécha sous toutes ses coutures, le fouetta à petits coups lascifs, le goba, l'enduisit de salive, le téta. Puis la langue virevoltante descendit le long de la colonne, remonta, s'y enroula comme un serpent autour de sa proie, titilla longuement la grosse artère qui l'irrigue. Soudain, elle lâcha prise et, se relevant d'un bond, elle saisit l'adolescente par les épaules. L'ayant placée à pied d'œuvre, dans un souffle, elle lui enjoignit : « Fais comme tu m'as vue faire. »

La bouche timide de la gamine vint se substituer à la voracité de son mentor. Mais l'élève compensait l'inexpérience par l'application. La tendre pulpe de ses lèvres malhabiles, mais animées du désir de complaire à sa maîtresse, me caressait le membre d'une manière à la fois gauche et exquise, tandis que doña Esmeralda, loin de rester inactive, s'occupait de mes couilles qu'elle entreprit de dévorer avec grand appétit, gobant les glandes l'une après l'autre, les roulant dans sa bouche goulue, puis, les soulevant dans sa paume creusée en conque, laissait le bout de la langue folâtrer en dessous, poussant des incursions jusqu'à mon trou du cul où elle tentait de s'introduire en un simulacre de possession. Ainsi, choyée par les deux femmes à la fois, ma queue était-elle aux anges, mignardée par deux bouches aussi gourmandes l'une que l'autre. Car la jouvencelle apprenait vite et bien, c'était le moins que l'on pouvait en dire !

Sa bouche fraîche accomplissait des prodiges, ses lèvres enserraient mon gland en un anneau de velours élastique. De temps à autre, le tranchant d'une canine effleurait la peau tendue, assaisonnant d'une pointe d'infime douleur le plaisir de la fellation.

Les deux belles se régalaient sans pudeur. Certes, ni l'une ni l'autre ne faisaient la fine bouche. Inversant les rôles, la maîtresse reprit possession du chibre, tandis que l'apprentie consacrait tout son zèle aux bourses. Du coup, sans rien perdre de leur vivacité, mes sensations s'inversèrent. Pendant que la chaleur montait des couilles au champignon, la fraîcheur descendait en sens inverse. Et pour clore le festin de façon équitable, plaçant la queue toute roide et vernie de salive entre leurs bouches, elles s'en partagèrent les versants. Tandis que l'une léchait le flanc droit, l'autre suçotait le gauche. Quant à la tête du mandrin – qui semblait avoir doublé de volume –, elles en eurent les honneurs à tour de rôle, de sorte que celle qui le prenait en bouche bénéficiait en prime de l'onctuosité de la salive dont la première l'avait enrobé. Un pur délice !

Doña Esmeralda dut sentir aux convulsions qui agitaient ma flamberge que je n'allais pas résister bien longtemps à pareil traitement. Elle interrompit la fellation sur un dernier coup de langue enveloppant, et se tournant vers moi encore tout haletant :

– Seigneur, dit-elle, nous avons eu l'honneur de partager votre virilité. Voulez-vous partager avec moi la vierge que voici ?

Elle releva la suivante d'un mouvement tendre, et la coucha entre nous, les bras en croix.

– Je vous abandonne le haut. Moi, je prends le bas, ajouta-t-elle, le souffle court, des étoiles plein les yeux.

Des deux, je n'étais pas le plus mal loti. Me penchant sur la jeune fille, je détaillai ses yeux mi-clos d'où filtrait un regard noisette, l'ovale délicat du visage où palpitaient les narines finement ciselées, la vague couleur de châtaigne mûre de la chevelure croulant sur l'encolure de cygne. Je posai les lèvres sur la bouche entrouverte, sans m'appesantir, savourant cette pulpe aussi fraîche que celle d'un fruit à peine cueilli de sa branche. Puis l'ayant patiemment apprivoisée, j'approfondis le baiser, dardant une langue insinuante qui eut tôt fait d'explorer le palais dans ses moindres recoins, de la denture au goulet de la gorge. Sa langue répondit à mes investigations par de vifs frétillements et des virevoltes telles qu'il semblait difficile de croire que la gamine était novice dans ce genre de joutes. De là à penser que sa maîtresse lui avait donné quelques leçons particulières, il n'y avait qu'un pas que je franchis allègrement. Décidément, ma torride Ibère ne se lasserait de m'éton-

ner. Dans le même temps mes mains parcouraient sa
poitrine que je convoitais depuis l'instant où je l'avais
vue nue. J'empaumais les seins l'un après l'autre,
m'émerveillant de leur fermeté, de la finesse du grain
de la peau, agaçant les pointes dressées du bout des
doigts, les roulant entre le pouce et l'index, les soupesant. Bientôt, n'y tenant plus, je les sillonnai de la
langue, les humectai de salive, et les saisissant par en
dessous, j'emprisonnai les tétons dans ma bouche pour
les téter. Enfin, c'est le sein tout entier que j'avalai, le
malaxant entre mes joues, le mordillant avec délectation, tandis que du bout de la lange je fouettai le bout
érigé. L'adolescente haletait, son torse se soulevait et
s'abaissait selon un rythme de plus en plus rapide, des
soupirs et des râles s'exhalaient de sa bouche, une fine
buée humectait sa peau.

Cependant doña Esmeralda s'activait de son côté sur
la partie inférieure du corps de la vierge. D'une main
légère mais brûlante, elle effleurait le creux des flancs, le
pincement de la taille, le doux vallonnement du ventre, y
imprimant un sillage de feu. Les attouchements descen-
dirent des cuisses aux mollets, puis remontèrent par la
face interne des jambes jusqu'au mince triangle paré
d'une fourrure drue. Se plaçant face à la tirelire, elle
l'entrebâilla d'un geste tendre, non sans lui glisser un
coussin sous les fesses de manière à exhausser l'autel où
elle entendait sacrifier. Les cuisses largement écartées,
les genoux repliés, la jouvencelle offrait son bijou à
découvert, où la prêtresse glissa un doigt inquisiteur. Les
soupirs redoublèrent, le souffle se précipita davantage.
Le pouce suivit l'index, afin de prendre le bouton en
tenailles et le titiller. Un troisième doigt s'inséra délica-

tement dans le vagin inexploré. L'en retirant avec une égale douceur, ma favorite me confia dans un souffle :

– Monseigneur, j'atteste que cette demoiselle est bien pucelle !

Je gageai que désormais elle ne le resterait pas bien longtemps. Ma queue m'élançait, menaçait d'exploser de congestion. Passant ma cuisse sous la nuque d'Inès, je la lui présentai ; elle ne se fit pas faute de reprendre sa fellation là où elle l'avait laissée. A demi enfoncé dans sa bouche, j'imprimai au zob quelques menues saccades, contrôlant le rythme afin, d'une part, de ne pas suffoquer la jeunette qui faisait preuve de tant de bonne volonté, et d'éviter, d'autre part, d'atteindre le point de non retour, et me répandre dans cette bouche si accueillante. Ce n'était pas là que je voulais jouir.

Maintenant l'Andalouse accroupie léchait sa servante d'une langue à la fois lascive et agile. Elle parcourait la fente sur toute sa longueur, lapant le jus clairet qui trempait les lèvres gonflées de la vulve juvénile, imprégnait la sombre toison et ruisselait sur les cuisses.

– Elle est prête, mon prince, me glissa-t-elle en me cédant la place.

Je n'eus qu'à m'agenouiller à mon tour, et sans déranger la posture où l'avait disposée sa maîtresse, je me contentai de lui soulever les mollets pour les placer sur mes épaules. Ainsi, la jeune figue béait sous mes yeux, vernie de mouille, le bouton vermeil tout pantelant au centre des muqueuses de corail. Mon champignon embrasé, glissant sur la crête huilée, vint se poster à l'entrée de la grotte scellée. J'imprimai au bélier une légère poussée et le sentit buter sur la porte close. La vierge retenait son souffle. Un voile de crainte traversa son regard qu'elle déroba en fermant les paupières en signe d'abandon. Une nouvelle poussée plus appuyée, et je perçus un léger recul du ventre, un raidissement des cuisses, l'obstacle était renversé. Un « aïe ! » étouffé fusa des lèvres de la petite, qui cependant ne se déroba guère. L'intrus glissa en elle jusqu'aux couilles, comme une dague affûtée dans un fourreau tout neuf. Il gonfla encore, exacerbé par l'étroitesse de la gaine qui de toutes parts l'enserrait, l'étranglait, l'épousait comme une seconde peau, se poussant du col et ruant tel un pur-sang refusant la bride.

J'en calmai la fureur, le maintenant au fond de l'étroite crevasse, les prunes collées à la fourrure humide, à l'affût.

Cependant l'Andalouse lui dispensait quelques gâteries et mots doux de nature à apaiser la douleur causée par le déchirement de l'hymen. Ses mains voltigeaient des épaules aux aisselles, des mamelons érigés au nombril agité par une palpitation fébrile, lénifiantes, brûlantes, attentives, tandis que la voix, que l'excitation avait enrouée, ne cessait de chuchoter :

– N'aie crainte, ma petite chérie, c'est fini. Tu n'auras plus mal, maintenant. Détends-toi… Laisse-toi envahir par la belle queue… Tu la sens calée au fond de ta chatte mignonne ? Tu sens comme elle est dure, comme elle est longue ? Tu sens comme elle le remplit bien, ton joli minou ?

Elle ponctuait ses propos de tendres frôlements, de baisers affectueux, de caresses aériennes. Elle avait passé le bras autour des épaules de la jeune fille, la pressant contre elle, seins contre seins. Le spectacle des deux femmes peau à peau ne fit que décupler mon désir. Le zob abrasé par l'étroitesse de la gaine vaginale se mit en branle, d'abord avec un mouvement de faible amplitude, pour bientôt s'accélérer, se faire plus vif et plus scandé. Peu à peu la fente se huilait, le conduit sans s'élargir devint plus glissant, la pénétration se fit plus aisée et plus profonde. Je poussais mon sabre si fort en elle qu'il me semblait qu'il allait en ressortir par l'ombilic. De son côté la nouvelle dépucelée ne rechignait pas à la manœuvre, la saignée des genoux agrippée à mes épaules, le bassin se soulevant et s'abaissant selon la cadence de la possession. Elle enfournait la bite comme une grande, les reins creusés, la poitrine pointée en avant, les mains serrées autour de mon cou. Quant à sa bouche, elle était pour l'heure occupée par la langue de ma favorite, qui s'y pavanait tout à loisir.

– Baise, mon petit amour, l'encourageait-elle. Fais-toi bien ramoner la minette. Comme j'aimerais être à ta place, et qu'il me la mette au fond de la chatte! C'est bon, hein, dis, mon ange joli? Donne-toi complètement! Remue le cul, ma toute belle. Reçois-le avec les honneurs dans ta petite craquette toute neuve, qu'il s'y sente bien à son aise.

Son cul, je l'avais empoigné, à pleines mains, pour mieux la forer. Je sentais tanguer sous moi cette chair ferme et torride, qui débordait entre mes doigts, pendant que mon ancre explorait les profondeurs de la grotte d'amour, en remontait pour aussitôt y replonger. Nos sueurs se mêlaient comme nos râles, nos ruades se répondaient les unes aux autres, à présent que le vagin tout neuf s'était fait à mon zob et qu'une abondante sécrétion affluait pour en lubrifier les parois. Entre-temps doña Esmeralda, rassurée sur sur le sort de sa disciple, l'avait abandonnée à mes soins et, postée dans mon dos, enlaçait le creux de mes reins qu'elle poussait en cadence à chaque pénétration. Je n'étais plus seul à niquer la donzelle, elle la baisait avec moi, à travers moi, par procuration. C'est son désir en même temps que le mien qui s'enfonçait en elle, lui arrachait feulements et gémissements. Puis, d'un mouvement preste, elle se coula sous moi, darda une langue turgescente entre mes fesses et l'y vrilla. C'en était trop. Le sperme fusa de moi tel un geyser. La petite cria quand la giclée brûlante inonda son tunnel. Longtemps le chibre continua à se convulser au fond du conin, dégorgeant son miel sans relâche. Enfin je l'en retirai, et ce fut dans la bouche avide de la favorite que les dernières gouttes se répandirent. Le membre embrasé par la joute s'y rafraîchit avec délectation à sa salive et s'y apaisa. Mais, sans doute insatisfaite de sa récolte, tandis que je tombais sur le côté, enfin repu, elle s'en fut recueillir le trop plein de foutre qui débordait de la moule de la novice, dense liqueur teintée de rose par le sang du sacrifice virginal.

Foi de pirate barbaresque, ce trio valait bien tous les duos, me disais-je, pendant que nous nous remettions de nos fatigues en grignotant quelques confiseries agrémentées d'un doigt de madère. Si j'en jugeais d'après les dispositions qu'elle avait montrées, la jeune Inès ne tarderait pas à marcher sur les traces de son initiatrice. Je lui prédisais un bel avenir dans l'art de la galanterie, et j'étais orfèvre en la matière. J'avais possédé tant de femme, que j'en perdais le compte. Non pas d'ailleurs que j'y eusse grand mérite, mais ma position au sein de l'Etat, ma gloire et mon prestige m'attiraient maintes bonnes fortunes, et je n'avais que l'embarras du choix. Princesses, épouses et filles de vizirs, grandes dames de la Cour, femmes de commerçants opulents ou de propriétaires terriens se jetaient à mon cou, soumises à mes moindres désirs. Connaissant mes appétences charnelles, les caïds, les cheikhs, les courtisans soucieux de me complaire me pourvoyaient à foison en esclaves, en captives, en servantes et demoiselles de compagnie. Je n'avais qu'à lever les yeux sur une belle pour qu'elle fût à moi. Certaines s'abandonnaient par complaisance ou par calcul, d'autres afin de seconder la carrière d'un époux, d'un fils ou d'un amant. D'autres encore, appartenant à mon harem – soit épouses, soit concubines – ne pouvaient se dérober à leur devoir. De surcroît, le palais pullulait d'accortes femmes de chambre, lavandières et cuisinières qui venaient dans mon lit sur un seul signe de moi. Je les étrennais à mon gré, parfois du bout des lèvres et parfois avec gourmandise. Cependant, elles ne parvenaient pas à me retenir, car la contrainte – quelque forme qu'elle empruntât, ou à quelque degré qu'elle intervînt – n'est pas un bon ingrédient de l'amour. Le désir se partage. Imposé – passé les premières ardeurs liées au plaisir de la découverte – il s'étiole ainsi qu'une plante privée de soleil. C'est que le désir s'alimente et s'accroît au désir du partenaire. Et j'avais trouvé en doña Esmeralda une compagne idéale, une femme selon mes vœux. Mon désir de la posséder s'attisait à son propre désir de se livrer à moi corps et âme. Anticipant mes plaisirs, elle me les rendait plus délectables encore. Elle venait d'en administrer une nouvelle et éclatante preuve. La participation de la jeune suivante à nos ébats témoignait d'une admirable inventivité, en même temps que du souci de rendre nos joutes plus attrayantes, plus épicées, qui la rendait plus chère encore à mon cœur. Les aptitudes d'Inès qui ne demandaient qu'à s'affirmer et à se développer, jointes à son innocence qui suscitait le désir de l'instruire et la déniaiser, étendait avec bonheur la palette des voluptés, permettait des variations inédites, en enrichissait la gamme pour mon plus grand plaisir, et – je l'espérais – le leur.

Les deux femmes reposaient à mes côtés. Ni l'une ni l'autre n'avait jugé bon de voiler sa nudité. A contempler les deux odalisques mollement allongées sur la couche tendue de soie, dont les reflets changeants les paraient de lueurs de flammes, le sang affluait à ma lance en vagues déferlant sans relâche.

Je les voyais lovées l'une contre l'autre, l'adolescente aux membres déliés, les yeux mi-clos, abandonnée dans les bras d'albâtre de sa maîtresse, leurs chevelures mêlant leurs rutilances et leurs parfums. Leurs seins, pareils à des fruits mélangés dans la même corbeille, les uns pesant leur poids de chair, d'une blancheur de marbre, couronnés de leurs fraises vermeilles, et les autres, moins épanouis mais fermes telles des balles, armés de leurs pointes de corail. Les cuisses sveltes se coulaient dans le giron accueillant de la belle Esmeralda.

Un vrai tableau de maître, que la flamme capricieuse de la chandelle léchait avec gourmandise.

La favorite fut la première à sortir de la langoureuse torpeur où le premier assaut l'avait plongée. Sans déranger Inès allongée contre elle, elle préluda en lui caressant les épaules et la nuque, frôlant la peau satinée

sous la masse fluide des cheveux. La petite fleur sensi-
tive frissonna de plaisir, mais ne modifia pas sa posture. Maintenant la main descendait avec lenteur le
long du sillon de la colonne vertébrale, épousait la
pente des flancs, gantait de velours la rondeur des
hanches, effleurait les fesses rebondies, s'insérait dans
la raie profonde, pour enfin venir butiner le trou
mignon. L'autre se prêtait à l'attouchement sans
réticence, creusant les reins, cambrant le cul, écartant
les cuisses, découvrant ainsi la rosette toute plissée, et,
juste au-dessous, l'échancrure de la fente déjà humide.
Mieux, confirmant ce que je savais déjà de son tempérament d'amadou, elle finit par s'agenouiller entre les
jambes de sa maîtresse, exposant mieux encore la vallée des plaisirs. A mon tour, je pris position dans le dos
de la suivante, et mêlai mes titillations à celles de
l'Andalouse. Nos mains butinaient de concert l'œillet
et la barquette à la fois, se touchant et s'étreignant fur-
tivement sur l'entrecuisse offert à notre convoitise. Je
finis par insérer ma langue dans la rainure de chair et à
l'y faire glisser sur toute la longueur de la faille,
léchant ainsi l'étroit pertuis et la moule d'un même
mouvement. Quant à l'ardente Ibère, elle avait replié
bien haut les genoux, en sorte que la bouche d'Inès se
trouvât collée à sa chatte, qu'elle se mit aussitôt à sucer
sans rechigner. Ces jeux de langue mirent la tension à
son comble, empourprèrent les peaux, aiguisèrent les
appétits.

Doña Esmeralda, jouant comme à l'accoutumée les
maîtresses de cérémonie, mit un terme à ces amuse-
gueules. Il était temps de servir un mets plus consistant.
Sur un signe, la suivante s'étendit à plat dos, tandis

qu'elle vint s'agenouiller au dessus de sa bouche, lui
présentant grande ouverte sa vulve dejà ruisselante.
D'un geste câlin, elle lui fit relever les cuisses, de
manière que sa bouche se trouvât à point nommé pour
humer l'odeur musquée de son petit bijou. Ainsi
s'étaient-elles placées tête-bêche. Et moi, quel rôle
allais-je jouer dans cette scène ?

— Que mon bien-aimé maître daigne me sodomiser,
dit-elle à mon adresse. Mon fondement se languit de
votre bélier. Et toi, Inès, te voilà aux premières loges
pour parfaire ton éducation. C'est un spectacle de choix,
n'en perds pas une miette !

Ce qu'elle vit en effet c'est mon zob qui avait pris la
dureté d'un os. Pointé sur la rosette offerte par l'écartement des fesses, il se frayait un passage dans le rectum
d'une poussée franche et rectiligne. Mes couilles claquèrent contre la raie dans un chuintement de chair forcée.

— Ah ! Que c'est bon. Comme j'aime que vous me
forciez le cul, que vous y preniez vos aises, soupira la
belle enculée, qui se jeta sur la figue de la petite avec
une ardeur décuplée.

Cette dernière, d'abord inerte, insinua sa langue dardée dans la moule baveuse qui la surplombait, courant
d'une extrémité à l'autre, lapant la mouille qui s'en
écoulait comme d'une fontaine. De mon côté, j'avais
agrippé ma partenaire par les hanches et la secouais en
cadence sur ma dague, la pénétrant jusqu'à la garde, me
retirant avec lenteur jusqu'au bord du prépuce pour
m'enfoncer de plus belle au fond de son cul. Je ramon-
nais à tout-va cette gaine de chair torride de mon instrument vibrant. Je la pistonnais avec tant d'allant que

j'aurais juré que son fondement sécrétait quelque huile adoucissante, alors que plus vraisemblablement le lubrifiant provenait de menues giclées de foutre échappées de ma queue.

A présent, non contente d'exercer ses talents sur le jardin d'amour de sa maîtresse, Inès prenait l'heureuse initiative de flatter mes couilles congestionnées de petits coups de langue, de cette même langue qui se cessait de batifoler dans le puits béant au-dessus de sa bouche. Ainsi la langue agile passait-elle de mes génitoires au con puis au cul de sa maîtresse, et refaisait le même trajet en sens inverse, pour notre plus grand contentement.

A mon tour d'innover. Je me retirai du cul avenant d'un brusque recul. Un « oh ! » de déception s'exhala des lèvres de l'empalée. Mais ce n'était qu'une fausse alerte, car je renfonçais le bélier furieux dans la chatte de l'Andalouse, qui glapit de surprise et de bonheur tout ensemble. Cependant, au-dessous de l'arc de chair agité de saccades que formait notre accouplement, la novice s'obstinait à laper nos sexes interpénétrés, volant de l'un à l'autre avec agilité. Ayant à satiété exploré le vagin hospitalier et y ayant trempé d'écume ma queue tout emflammée, je la plongeai de nouveau dans le cul, non sans, au préalable, l'avoir enfournée dans la bouche d'Inès qui l'accueillit avec des frétillements de langue et des suçotements de la meilleure venue.

L'initiatrice prosternée me livrait plus que jamais ses deux orifices que j'empruntais tour à tour selon mon bon plaisir, alors que la langue de la disciple titillait l'orifice vacant, suivant que je lui niquais la chatte ou le cul. Toutefois ces multiples sollicitations ne l'empêchaient pas de plonger langue en avant dans le conin entrebâillé de la gamine, le dévorant goulûment. Entre ses lèvres pulpeuses, elle en aspirait la perle toute luisante de rosée, l'enrobait de sa salive, la mâchonnait, la flagellait à petits coups redoublés. La donzelle émit un gémissement ténu, puis lança un long cri rauque, tandis que la bouche fureteuse s'emplissait du flot déferlant des profondeurs du con tout neuf, qui jamais auparavant n'avait été à pareille fête. Cependant, le plus admirable est que la langue d'Inès ne cessait pour autant sa voltige sur nos sexes roulés dans la même houle, volant de l'un à l'autre sans s'accorder la moindre trêve.

Plus que jamais, mon étalon ruait avec fureur, écarlate, au bord de l'apoplexie. Quand il explosa, je le retirai prestement du gouffre où il était englouti, pour le plonger aussitôt dans la bouche de la servante, où il se répandit à grands flots convulsifs. Doña Esmeralda poussa un feulement barbare et s'effondra sur le côté, toute parcourue de frissons. Lorsqu'à mon tour je m'affalai sur la couche, le menton d'Inès degoulinait de mon foutre et de la mouille de sa maîtresse, mêlés. C'était la première fois qu'elle dégustait pareil aphrodisiaque.

5

Ce matin-là, le palais se réveilla en grand émoi. Une foule fébrile sillonnait salons, boudoirs et corridors, mêlant domestiques et dignitaires, servantes et princesses, capitaines et soldats. Des conciliabules se tenaient dans les recoins, des attroupements se formaient dans les encoignures, des janissaires en armes gardaient les issues. La rumeur, d'abord chuchotée, enflait au fil des minutes. L'épicentre du séisme semblait provenir du harem.

Dès mon lever, le grand chambellan vint en personne m'aviser de la raison de cette agitation. Latifa Hanem, ma seconde épouse, inspectant sa cassette pour y choisir une parure, venait de s'apercevoir de la disparition d'un bijou auquel elle attachait un grand prix : un collier d'émeraudes et de rubis, dont je lui avais fait don au lendemain de nos noces.

Avant de donner l'alarme, Latifa Hanem avait mis son appartement sens dessus dessous à la recherche de son joyau. Tapis et matelas avaient été retournés, les meubles minutieusement fouillés, les vêtements passés au crible. Peine perdue : on n'en trouva pas trace. Elle

était au désespoir, les yeux ruisselant de larmes, les cheveux emmêlés, les joues lacérées. Sur l'heure, j'ordonnai de diligenter une enquête, et de passer le palais au
peigne fin, des caves aux combles, sans omettre le hammam et les dépendances.

Au bout de quelques heures d'investigations menées
tambour battant, le mystère fut éclairci. C'est dans le
dortoir des servantes qu'on le retrouva, dissimulé entre
le matelas et le sommier de la couche d'une fille de cui-
sine. Farida – la voleuse – fut promptement mise au
secret, en attendant l'instruction. Celle-ci ne traîna pas
en longueur, la prévenue avouant son larcin sans tergi-
verser. Elle était issue d'une famille nombreuse des
environs ; quelques mois auparavant son père était venu
supplier qu'on l'acceptât dans ma demeure, à quelque
titre que ce fût. On l'avait affectée aux cuisines, où elle
écossait les petits pois et épluchait les pommes de terre.
Jusque-là, son comportement avait été irréprochable.
Espiègle, toujours enjouée, elle s'était à maintes
reprises distinguée par ses qualités de boute-en-train
dans les fêtes de femmes dont le harem était friand.
Jouant de la *darbouka* avec un sens inné du rythme,
douée de talents de danseuse, elle excellait à animer les
divertissements de ces dames grâce à l'exubérance de
sa jeunesse, à sa vitalité débordante, à son joli timbre de
voix, et à l'harmonie de son anatomie qu'elle ployait et
déployait gracieusement au son du tambourin et de la
flûte de Pan.

Elle devait comparaître devant moi le lendemain pour
le prononcé du verdict. Hélas ! celui-ci ne faisait de
doute pour quiconque. On lui trancherait la main droite,
celle qui avait dérobé le bien d'autrui, d'un coup de

sabre qui la détacherait du poignet. Certes, la loi était cruelle, mais c'était la loi. Ce soir-là, je fis mander l'Andalouse, comme toutes les nuits. Nous fîmes l'amour avec tendresse et passion, puis nous devisâmes de choses et d'autres, sa tête calée au creux de mon épaule. Naturellement, la conversation tomba sur l'événement de la journée, et je lui appris la peine qui serait appliquée à la délinquante. Elle eut beau plaider pour elle, invoquer son jeune âge, la force de la tentation à laquelle elle avait succombé, l'indigence de sa famille qui expliquait selon son argumentation son absence de scrupules, l'avenir de cette malheureuse que la mutilation allait anéantir d'un coup, rien n'y fit. Je m'en tenais au strict respect de la norme, et à la nécessité de faire un exemple afin qu'une telle affaire ne pût se reproduire, et que fût sauvegardé l'ordre dans le palais. Sans cela, où irait-on ? Mais elle pria, supplia, insista tant et si bien, parsemant son plaidoyer de caresses et de chatteries, que je finis par consentir, sinon à absoudre la coupable, du moins à commuer la peine encourue. Elle se répandit aussitôt en remerciements et actions de grâce, ajoutant :

— Monseigneur, dans son infinie bonté, veut-il se décharger sur moi de cette pitoyable affaire ? J'assure mon prince chéri que la voleuse recevra un juste châtiment de son forfait, dont, avec votre permission, je vous réserve la surprise.

— D'accord, tu as carte blanche, cédai-je enfin, vaincu par de si tendres armes.

Et vint le jour dit pour l'exécution de la sentence, dont, par ailleurs, j'ignorais tout. Doña Esmeralda, pressée de questions, en garda jalousement le secret, refusant avec courtoisie mais fermeté de m'éclairer si peu que ce fût. Elle avait tout arrangé avec le grand chambellan, et rien n'avait transpiré du dessein qu'ils avaient arrête en commun.

A l'heure fixée, on me conduisit à travers les souterrains, où une vaste salle voûtée avait été aménagée pour le supplice. Les voûtes basses, soutenues par des colonnes trapues, en assombrissaient l'atmosphère, où de loin en loin des torches de résine jetaient leurs lueurs fuligineuses. Je m'installai sur un sofa, au centre de l'aréopage des dignitaires du palais. Quant aux femmes admises à assister au spectacle – mes épouses et en premier lieu Latifa Hanem, victime du larcin, et parmi elles mon Andalouse et sa suivante qui, depuis l'autre nuit, bénéficiait d'un statut privilégié – on leur avait réservé une alcôve, séparée de la pièce principale par une tenture de mousseline transparente.

Au centre de la salle, sous la clé de voûte, violemment éclairée par deux flambeaux fixés aux parois, trônait une selle de belle facture posée à même le pavement de pierre à peine équarrie. Circonscrivant celle-ci, six anneaux de fer étaient scellés au sol, deux en arrière, deux en avant, et les deux derniers de part et d'autre de la monture. L'assistance, intriguée, montrait déjà des signes de perplexité, quand la petite voleuse fit son entrée entre le bourreau et son aide. Effarée, la gamine, ne sachant visiblement rien de ce qui se préparait, tremblait de tous ses membres. Quinze ans, seize tout au plus, le teint doré de ceux qui sont accoutumés à vivre en plein air, deux jolis yeux noisette étirés en amande, la chevelure bouclée croulant sur les épaules jusqu'aux

reins, si brillante qu'elle semblait humide. Le trio fit
halte au milieu de la pièce, face à la selle, la délinquante
si frêle entre l'exécuteur des hautes œuvres et son acolyte. Le premier surtout avait de quoi inspirer la terreur.
Un vrai colosse, haut comme une montagne de viande
et d'os, un Turc d'Anatolie prénommé Achmet, le
faciès bestial couturé d'estafilades, la bouche lippue et
le crâne cabossé, lisse comme un galet. Ses bras
énormes lui tombaient jusqu'aux genoux, le long des
cuisses aussi épaisses et noueuses que des troncs
d'arbre. L'autre, pour être moins impressionnant, n'en
était pas moins solidement charpenté, la carrure large et
le ventre musclé, le torse nu couleur de vieux cuir, sur-
monté par un visage en lame de couteau, que barrait une
fine moustache en accent circonflexe. Sur un signe de
ma main, ils entreprirent de dévêtir la gosse, ce qui fut
rondement mené. Elle ne portait qu'une ample tunique
d'étoffe grossière, qu'en un tournemain ils arrachèrent.
L'enfant, nue, se révéla moins fluette qu'il n'y paraissait
au premier abord. Son corps jaillit en pleine lumière,
découvrant une paire de seins en forme de poire, des
épaules dodues, la plage vallonnée du ventre ombragé
par le friselis noir du triangle, les cuisses potelées et les
mollets rebondis. La saisissant chacun par un bras, ils
l'assirent à califourchon sur la selle, où ils l'immobili-
sèrent en fixant ses poignets, munis de bracelets de cuir,
aux anneaux scellés au sol. Il en alla de même de ses
chevilles, qui furent promptement liées aux anneaux
postérieurs. Puis on lui passa une sangle dans le creux
des reins, dont les deux extrémités furent de même
assujetties aux deux boucles latérales. Ainsi ligotée, elle
en était réduite à un état de contrition absolue, ne pou-

vant esquisser le moindre mouvement, tenter quelque parade que ce fût, ou moins encore se dérober. La posture soulignait le galbe des seins entraînés par leur propre poids, l'affaissement de l'échine que la sangle plaquait à la selle, et le basculement du cul en arrière que la prosternation et l'écartement des cuisses ouvrait en grand. Une bien belle croupe, foi de pirate, qui fit lever ma verge sous la robe. Entre les deux pastèques parfaitement sphériques, la crevasse se creusait, profonde et dessinée d'un trait net, au fond de laquelle clignait la rosace secrète, que la posture écartelée échouait pourtant à entrouvrir. Et juste au-dessous, le renflement de la motte ocrée sous la broussaille de jais.

Des frissons d'effroi ne cessaient d'agiter l'échine de la gamine, clouée à ce pilori d'un genre inédit. Sa jeune intimité frémissait, exposée sans défense au regard de tous.

Lesquels retenaient leurs souffles, dans l'attente de la suite des événements. Un silence pesant planait sur la salle, quand une clameur s'éleva, plus aiguë en provenance de l'alcôve où se tenaient les femmes, plus rauque du côté de l'assistance masculine. D'un coup le malabar venait de défaire sa large ceinture écarlate et de baisser sa culotte bouffante, mettant à l'air un fessier proprement énorme – masse compacte de muscles massifs enrobés de lard – et surtout une flamberge qui, à elle seule, constituait une attraction de foire. Une vraie monstruosité ! Au repos, elle n'avait déjà rien à envier au pénis d'un mulet. Jaillissant de l'inextricable pelage de fauve tapissant le bas-ventre jusqu'au nombril et débordait sur les cuisses en deux étoupes de crins rêches et emmêlés, la chose d'une indéfinissable couleur oscillant entre le rouge sang et le violet, pendait jusqu'à mi-cuisse, lestée par le lourd clocheton du gland qui la coiffait et excédait la tige tel la corolle de quelque étrange champignon, de la taille d'un œuf d'autruche. Par Allah, quel obus, capable à lui seul de réduire en poussière la muraille la mieux fortifiée. Quant au calibre de l'engin, je gage que la main d'un honnête homme serait trop petite pour en faire le tour.

Or, insoucieux de l'effet produit sur la compagnie, l'escogriffe se laissa tomber à genoux dans l'axe du cul de la malheureuse, et de ses deux paluches aussi larges que des battoirs, il empoigna les sphères de chair juvénile qu'il disjoignit sans effort, tirant l'une et l'autre vers l'extérieur afin de dégager le trou minuscule. Puis inclinant le buste, il ajusta un abondant crachat sur l'orifice à peine entrebâillé, dont la giclée visqueuse inonda l'œillet et s'écoula avec nonchalance le long de la raie. Aussitôt, il saisit à pleines mains son instrument monstrueux qu'il frotta contre l'entaille ainsi lubrifiée. Le bougre se déplia comme un reptile s'élançant sur un mulot, se durcit, se cabra, et sans rien perdre de son volume hors du commun, sembla doubler de longueur. Il tressauta, se congestionna, sa couleur virait au violacé. Quant au mufle, il enfla encore, débordant largement la hampe, tandis qu'un fanon sanglant tremblotait sur sa face postérieure, et qu'un réseau de fortes veines bleues, gonflées à en éclater, battaient sur toute la longueur du cylindre démesuré. Et l'on vit, accroché, à la base du zob prodigieux, le sac de cuir boucané où ballottaient, oblongues, énormes et gorgées d'épaisse semence, une paire de couilles dignes de celles d'un taureau de combat.

Maintenant, les ongles incrustés telles des serres dans les hanches dodues de la gosse terrorisée, le géant s'acharnait à pousser son manche monumental dans le cul que serraient à la fois l'effroi et la virginité. Qu'à cela ne tienne ! Quoique l'obus rebondît sur l'obstacle sans pénétrer ne fût-ce que d'un pouce, le mastodonte ne se décourageait guère. Il s'obstinait dans sa folle entreprise, alors qu'à l'évidence la clef était bien trop volumineuse pour la serrure. La fille entravée, ne pouvant éviter les assauts répétés de son bourreau, le fondement meurtri, ouvrait grande la bouche, sans que le moindre son pût s'en exhaler, littéralement paralysée d'horreur. Enfin, la queue empoignée à deux mains, les reins creusés, l'énergumène catapulta le bélier dans le minuscule orifice, qui céda d'un coup, éclaté. Le butoir déchiqueta la fragile muqueuse, pareil à un vilebrequin vrillant en pleine chair. Le sang gicla sur la toison du tortionnaire, et ruisselant le long de la raie, teinta de rouge la moule. La tête ayant perforé le sphincter sous la poussée formidable, la tige moins épaisse suivit dans la foulée sur quelques centimètres. Alors la suppliciée hurla, folle de douleur. Une cascade de sanglots secouait son corps martyrisé.

Mais il en fallait bien davantage pour attendrir celui qui s'enorgueillissait de trancher net une tête d'un seul coup de cimeterre. Le phénoménal n'avait pénétré que du quart à peine dans l'anus saccagé. Les pognes toujours agrippées aux hanches de sa victime où ses serres avaient creusé de sanguinolents sillons, il se mit à ébranler le cul mis à sac par de brutales saccades d'avant en arrière, dans le même temps qu'il propulsait son chibre avec fureur, progressant centimètre par centimètre, ponctuant ses ruades de han de bûcheron. Quant à la torturée, elle ne cessait de pousser des glapissements de mouton égorgé. Enfin les génitoires taurines vinrent buter sur la raie baignée de sang, et s'y rougirent. Par bonheur pour elle, l'assaut ne dura que quelques instants à peine. Le pachyderme éructa, un râle aussi sonore qu'un coup de tonnerre s'arracha à sa poitrine, et il lâcha son venin au fond de la gaine qu'il venait de massacrer. Lorsqu'il extirpa son engin à petits coups, celui-ci était tout enrobé d'une épaisse bouillie de foutre et de sang mêlés. De son côté, sa proie, le teint livide, les yeux révulsés, la tête affaissée entre les épaules courbées, respirait à peine. L'excès de souffrance lui avait fait perdre conscience.

L'aide du tortionnaire, sans égard pour l'état pitoyable où elle se trouvait réduite, lui versa un seau d'eau sur la tête, la tirant de son évanouissement. Elle tenta en vain de s'ébrouer, un frisson fiévreux parcourut son échine, des gémissements ne cessaient de s'exhaler de sa bouche. Et l'autre, sans doute impatient de prendre part à la curée, de se poster aussitôt dans l'intervalle formé par l'arche des cuisses toujours écartelées, et, baissant en toute hâte son saroual à la baguette brodée de brandebourgs écarlates, d'exhiber une queue érigée, vibrant telle une branche de coudrier. Si, quant au calibre, elle ne pouvait – loin s'en fallait – soutenir la comparaison avec celle du mastodonte, elle rivalisait néanmoins avec elle du point de vue de la longueur. Incurvée vers le haut, mince et rigide, on eût dit la bite de quelque molosse avec son gland rose, effilé et humide.

Sans plus attendre, tandis que l'infortunée n'en finissait pas de geindre sourdement, il pointa son épieu sur la moule toute ruisselante de sang qui continuait à s'écouler goutte à goutte de l'anus perforé. Deux ou trois frottements de la pine dans la fente close, un coup de rein résolu, et le voilà maître de la place. Un nouveau hurlement succéda aux plaintes, quelques nouvelles gouttes de sang vinrent grossir le ruisseau vermeil, et déjà le vit affûté se frayait un rapide chemin dans le vagin conquis sans coup férir. Le dépucelage du con ne traîna pas plus en longueur que l'effraction du cul. Le piston acéré accrut sa vitesse, les secousses se firent plus vives, les liens qui maintenaient la fille craquaient sous le choc répété et de plus en plus violent asséné par le fouteur déchaîné, l'œil fixe, la bave aux lèvres, la lippe tordue par un rictus d'extrême excitation. Enfin il éructa, sa poitrine se vida d'un coup en un sifflement prolongé, comme s'il venait de courir à perdre haleine, et il lâcha son foutre dans la conasse qu'il venait de transpercer. L'adolescente gisait dans la même position, l'entrecuisse maculé d'une mixture de sperme et de sang, les yeux hagards, le teint plombé, les bras ballant de chaque côté de la selle du supplice.

Ayant perdu ses deux virginités à la fois, elle ne serait plus bonne que pour le bordel, désormais. Je me promis d'en toucher un mot à une vieille maquerelle qui m'avait jadis procuré maintes bonnes fortunes. Au moins, elle n'y serait pas maltraitée.

Je regagnai mes appartements avec un sentiment trouble mêlant l'écœurement à l'excitation. Certes la cruauté de la scène m'avait soulevé le cœur, mais il fallait bien avouer qu'elle avait également suscité en moi une vague d'irrépressible désir. C'est encore à la belle Andalouse que je devais cette flambée, elle qui avait mis en scène le spectacle. Même hors de sa présence, elle trouvait le moyen de me mettre en état d'attente érotique, et de la sorte, jouait à merveille son rôle d'ordonnatrice de mes plaisirs. Et maintenant, force lui était d'éteindre l'incendie qu'elle avait allumé à distance.

Elle s'empressa à mon appel, accompagnée de sa fidèle suivante. Ainsi manifestait-elle une fois de plus une intuition et une intelligence de l'art érotique hors du commun, rien ne pouvant mieux me complaire à cet instant qu'un trio amoureux.

Sans hâte, la petite se mit en devoir de dévêtir sa maîtresse, ponctuant son office de légères caresses et d'attouchements furtifs. Les doigts aériens effleuraient les épaules, la taille, le creux des reins, s'attardaient aux aisselles et à l'aine, frôlaient tantôt les tétons et tantôt la courbe cambrée de la croupe, menaient de brèves incursions sur le mont de Vénus, à mesure que les vêtements jonchaient le sol. Et à chaque dévoilement mon désir montait d'un cran. Enfin elle fut nue, hormis une collerette de perles dont l'orient nacré scintillait sur son encolure d'ambre. Le déshabillage de l'adolescente fut plus bref, et l'impact de sa soudaine nudité plus violent. La blancheur de la carnation, les taches sombres des aisselles et du pubis, la finesse des articulations, jointe à l'arrogance des seins et à l'opulence de la chute des reins me sautèrent aux yeux avec la même force que la première fois.

Comme à l'accoutumée, doña Esmeralda prit d'emblée la direction des opérations, me jetant un regard me signifiant d'avoir à me réserver pour plus tard, et qu'elle s'employait à rendre nos ébats plus délectables encore. Elle entraîna la jouvencelle sur la couche, la couvrit tout entière de son corps, seins contre seins, ventre à ventre, peau limée à la peau, tandis que ses lèvres butinaient son visage, son cou, ses épaules. L'autre s'agrippait à elle des bras et des jambes, déjà en feu, les tétons dardés, les cuisses ouvertes au grand écart. Les deux bouches se fondirent l'une dans l'autre, les langues s'accouplèrent, elle déglutirent avec ravissement leurs salives mêlées. Puis d'un geste résolu, ma favorite souleva la cuisse de son élève qu'elle déposa sur son épaule, tandis que la gauche, repliée, reposait sur le lit, et se coulant dans l'ouverture du compas, fit coïncider sa figue épanouie au fruit tendre d'Inès, et amorça un lent mouvement de rotation. Ainsi les deux moules superposées se frottaient l'une contre l'autre, bavaient de concert, échangeaient leurs fièvres et leurs sécrétions, frictionnaient l'une contre l'autre leurs pistils vibrants qui s'affrontaient en une joute effrénée. Les ventres houlaient de pair, les hanches roulaient selon un rythme de plus en plus frénétique, les seins se pressaient, se frottaient, s'agaçaient mutuellement avec une ardeur telle qu'on aurait cru qu'ils œuvraient à se transpercer de leurs pointes érigées. Le spectacle mit un comble à mon embrasement, ma bite enflait, se tendait à craquer, mes couilles menaçaient de déchirer le sac de peau qui les contenaient à grand-peine. Une odeur suave et lourde à la fois de femmes en chaleur se mêlait aux vapeurs de l'encens. Des râles et des gémissements, entrecoupés de bruits mouillés de baisers et de succions montaient des corps enchevêtrés.

Tout à coup, le nœud humain se défit, la maîtresse échangeant sa place avec sa disciple, de sorte que la première se retrouva à plat dos, tandis que la seconde, la chevelure ruisselant sur sa poitrine généreuse, s'agenouillait entre les cuisses pleines, humant à pleins poumons le chaton trempé qui exhalait un parfum de musc. Deux doigts prestes entrebâillèrent les lèvres ombragées de fourrure soyeuse, lors même que le majeur plongeait résolument dans la crevasse, y fourrageait tout son saoul, y prenait ses aises, lissait au passage le clitoris gonflé tel la crête d'un coq belliqueux, l'agaçait d'attouchements furtifs et de tendres torsions, pour enfin se perdre au fond de la grotte gluante, bientôt suivi par un deuxième, où ils s'enfouirent de pair jusqu'à la paume.

Cependant ma luxurieuse Ibère, tout en manifestant par de petits cris et des encouragements haletants tout le plaisir que lui procurait cette douce manipulation, ne m'avait pas oublié. Elle jeta ses bras de part et d'autre de son amante, et saisissant à pleines mains les globes charnus de sa croupe, elle les écarta fermement, me dévoilant l'étroite vallée qui filait toute droite entre les mamelons joufflus. Je savais ce qu'il me restait à faire. Ce cul tout neuf qu'elle m'offrait, c'est peu dire que c'était bien volontiers que j'allais l'étrenner. Le soupçon me vint que la chose avait été concertée entre les deux luronnes. Quoi qu'il en fût, ce cul, j'en avais une furieuse envie depuis que j'avais vu la petite pour la première fois. Je ne fus donc que trop heureux d'agréer l'invite et, prenant position dans le dos de la donzelle, bien calé sur mes genoux légèrement disjoints, j'oignis l'œillet offert d'une noisette d'onguent préparé tout spé-

cialement par mon apothicaire pour de telles occur-
rences, mélange de graisse de volaille et de pétales de
rose. Cependant la mignonne s'affaissait mieux encore,
maintenant la croupe haute, tandis qu'elle substituait
aux doigts une langue insinuante dans la chatte que
doña Esmeralda présentait exhaussée, jambes repliées et
bandées, le bassin touchant à peine la couche. Elle
lapait sans relâche l'élixir sourdant de la vulve royale,
s'en pourléchait les babines, suçait avec gourmandise
les muqueuses gorgées de jus, en explorait minutieusement les reliefs érectiles et les plis moites, dardait
l'extrémité effilée de son chiffon de chair à l'orée du
vagin et s'y aventurait en de rapides incursions, telle un
lézard gobant un insecte.

Pour ma part, j'empoignais d'une main ferme les
hanches de la demoiselle qui faisait montre d'un zèle si
louable, et de l'autre, saisissant mon zob impatient, je le
vrillais dans la porte dérobée gluante de pommade, tout
en exerçant une poussée du bassin. L'engin cabré glissa
d'abord sans pénétrer, mais à la seconde tentative
l'œillet se déplia lentement, lui frayant un étroit passage
où il s'engouffra, emporté par son élan. Je perçus un
léger raidissement des muscles fessiers de la petite, qui
pourtant ne se déroba guère. Elle décolla sa bouche de
la motte qu'elle dévorait, geignant doucement sous
l'éperon qui lui fouaillait la chair. Mais ce répit ne dura
qu'un bref instant, durant lequel je demeurai inerte, la
bite à moitié enfoncée dans l'anus distendu, attendant
qu'elle assimile la douleur du dépucelage et qu'elle
s'accoutume à l'intrusion. Mais, soit qu'elle ne fût pas
douillette, soit qu'elle prît sur elle avec vaillance, soit
encore que la pénétration lui eût à suffisance échauffé le

fondement, c'est elle qui la première se remit en mouvement, basculant la croupe en arrière pour s'empaler plus complètement. Ravi, je secondai l'initiative, poussant mon manche à fond de course et ramenant les fesses vers mon pubis en saccades de plus en plus vives. J'enfournai mon pieu de toute sa longueur, du bourrelet aux couilles, battant en mesure sur les sphères moelleuses, toutes tressautantes sous l'ardeur de l'assaut.

Chaque secousse projetait la bouche de l'enculée sur la chatte béante, alors que ma verge coulissait dans le boyau jusqu'alors vierge, où elle se sentait à l'étroit comme dans un vêtement neuf. Divine sensation que celle que j'éprouvais, ouvrant un nouveau chemin dans ce corps inexploré, ferme, aux chairs élastiques, lors même que les masses charnues du cul, mû par le mouvement de bascule, me procuraient le plaisir exquis d'être branlé dans une gaine ajustée de chairs torrides. Mon sabre conquérant ne se lassait pas de défricher de nouveaux territoires de luxure, battait sans relâche le sentier qu'il s'était frayé de vive force, s'y ruant encore et encore pour se l'annexer, le faire sien, y imprimer sa trace, y inscrire en creux sa forme oblongue, son volume et sa longueur. Je la sodomisais comme on prend une citadelle, l'arme au poing, projetant ma lance au fond de son rectum, et, dans l'ivresse de la possession, j'espérais qu'elle me chierait dessus, que sa merde chaude, telle une couronne de laurier, viendrait coiffer la pointe du pieu comme un trophée et se mêler au foutre, que je sentais monter inexorablement le long du piston déchaîné.

Cependant, la suivante, jamais à court d'idées, avait passé les bras sous les fesses de sa maîtresse qu'elle malaxait à pleines mains, tout en lui dévorant la chatte à belles dents, tandis que je ne cessais de l'enculer à tout va. La queue profondément enfouie dans le cul tout neuf, je me contentais de lentes oscillations du bassin afin d'élargir les parois et les assouplir. Je prenais mon temps, faisait durer le plaisir, éprouvant sur toute la surface de mon zob la pression du fourreau prégnant, soucieux de retarder l'éjaculation. Mes œufs se caressaient à la raie, où ils se sertissaient comme en un écrin de chair. Irrépressible, le flot jaillit, emporta les dernières digues, et se répandit en hoquetant dans le fondement qu'il inonda. La sodomisée glapit sous les jets brûlants qui se succédaient à brefs intervalles, son cul bascula d'avant en arrière, le forcené tressautait dans ses profondeurs, se vidait en giclées bouillonnantes. C'était la première fois qu'elle recevait une rafale de semence chauffée à blanc au fond de ses intestins, elle en était bouleversée, ne sachant où donner de la tête, tout à la violence et à la nouveauté de la sensation, mais n'oubliant pourtant pas son initiatrice geignant au-dessous d'elle. Un dernier coup de sa langue virevoltante eut raison de cette dernière, qui feula d'extase, les cuisses retombant sur la couche trempée de sa mouille. Quant à moi, je retirai avec délicatesse mon membre encore turgescent, et basculai sur le côté, haletant. Mais doña Esmeralda, qu'on croyait pourtant repue, se releva d'un bond et, se jetant sur la croupe encore toute fumante d'Inès toujours prosternée, se mit à laper goulûment le liquide jaunâtre qui en suintait, foutre teinté de matière fécale.

Nous nous affalâmes dans l'alcôve, ivres de volupté,

les yeux encore éblouis par le feu d'artifice qui venait de nous illuminer. Nous dégustâmes une coupe de vin vieux, adoucîmes nos bouches meurtries de gâteries et de friandises. Nous nous baignâmes dans le grand bassin de marbre du hammam, nous lavant des exsudations de l'amour dans une eau limpide, parfumée de fleurs de jasmin. Puis, lustré et détendu, j'allumai mon narguilé de cristal de roche à une braise, des volutes lascives à fragrance de miel se déployèrent dans la pièce, telles d'arachnéennes arabesques. Les ablutions nous ayant lavés des fatigues de nos assauts, nous fûmes bientôt prêts à nous livrer à de nouveaux ébats.

J'étais fasciné par le corps de ma belle Andalouse, tandis que, à plat ventre, le buste reposant entre les coudes, elle grappillait quelques grains de muscat. Les deux sphères jumelles de son cul, dans la perfection de leur rondeur, toutes deux revêtues d'une peau d'ambre au grain d'une telle finesse que, rien que de les contempler, il vous venait une folle envie de sodomie. Et au mitan de la mappemonde, la raie, comme incisée à la pointe sèche en pleine chair, décrivant une courbe voluptueuse entre le creux des reins et le sommet des cuisses, où elle se perdait dans un mystère protégé de fourrure bouclée. Les joues rebondies des fesses cachaient le double orifice du plaisir. Je me retenais à grand peine pour ne pas fondre sur elle, écarter les masses opulentes de chair et sans plus attendre y enfoncer mon pénis que cette seule évocation mettait en émoi. Ce dont elle ne tarda pas à s'aviser, un sourire à la fois enjôleur et satisfait naissant sur ses lèvres pulpeuses, et allumant dans l'eau verte de ses yeux un bouquet d'étincelles.

Allongé entre les deux belles, je pouvais – et ne m'en privais guère – lutiner l'une, butiner l'autre, fouiller de la langue la bouche de la première pendant que ma main s'égayait sur les seins de la seconde. Ma cuisse s'insérait dans son entrejambe, en éprouvant le satin moite, se caressant à sa toison soyeuse, éveillant son bouton déjà humide. A ma gauche, la femme dans son plein épanouissement m'offrait la miraculeuse harmonie de ses chairs généreuses, tandis que, la tête reposant sur mon épaule, l'adolescente me livrait la gracilité de ses membres déliés, sa taille de guêpe, sa jeune bouche avide de baisers, et ses grottes toutes neuves que je venais à peine d'explorer. On ne pouvait rêver scène plus suggestive, même au jardin d'Eden peuplé de houris dont, dit-on, la beauté n'a d'égale que la luxure.

Assurément, les deux diablesses qui se pavanaient à mes flancs ne le cédaient en rien aux pensionnaires du paradis ; s'emparant de ma bite toute ragaillardie par ces exquis préliminaires, elles s'évertuaient à la transformer en un phallus de pierre. Elles se répartissaient la tâche en toute équité : la belle Andalouse, ayant enfourné la tête du gourdin, le suçait avec ardeur, le lissait d'une langue de velours, le lapait. Inès, elle, enveloppait les couilles dans sa petite paume toute chaude, branlait la tige rigide dans l'anneau mouvant de ses doigts délicats tout en la léchant, tantôt à petits coups gourmands, et tantôt du plat de la langue en longs attouchements mouillés. Je sentais la sève monter dans le tronc, et me dégageai brusquement du traquenard que les deux démones m'avaient tendu.

Pantelant d'excitation, j'ordonnai à la plus jeune de s'étendre sur le dos, les cuisses ouvertes, entre lesquelles vint se couler la volcanique Ibère. Ainsi elles se trouvaient bouche à bouche, seins contre seins, ventres collés, vulves soudées, chevelures mêlées sur l'oreiller, exhalant une fragrance de musc et de tubéreuse qui ajoutait à mon vertige. Me postant derrière la croupe cambrée dont les sphères entrebâillées invitaient à la sodomie, je saisis la belle par les hanches et introduisis sans coup férir le chibre vibrant dans le vagin trempé, où je le fis aller et venir quelques instants à seule fin de l'imprégner de miel. Et, le retirant avec délicatesse, le pointai un peu plus haut à l'orée de l'orifice des plaisirs interdits, où d'une poussée lente mais continue je l'enfonçai sans heurt. Le fourreau accueillit mon intrusion comme s'épanouit un bouton de rose butiné par une abeille. La place conquise, j'y pris mes aises, en parcourant l'avenue d'un bout à l'autre, d'abord au trot, puis au galop, accélérant l'allure, scandant la cadence, propulsant sans répit l'engin au fin fond de la gaine, imposant un rythme soutenu au cul docile, dont les ruades répondaient ponctuellement à mes charges de plus en plus résolues, de plus en plus profondes. Je ne me lassais pas de sonder le fondement de cette superbe cavale, de faire riper mon zob cabré contre les parois élastiques du conduit : plus je le ramonais, plus il me semblait vierge, tant j'y étais enserré dans un étau de chairs à la fois tendres et nerveuses, soumises et mouvantes, familières et pourtant toujours neuves, inexplorées.

Je m'en extirpai pourtant, poussant doucement ma houri de sorte que son jardin parfumé vint se positionner à l'aplomb de la bouche de sa disciple. J'empoignai cette dernière sous les cuisses et lui enfournai la queue toute fumante dans le petit conin. Et Inès, point rétive, releva les genoux à hauteur de mes flancs où elle s'agrippa, croisant les mollets dans le creux de mes reins. Ainsi me tenait-elle captif, mon ancre plongée tout au fond de ses eaux intérieures, imprimant à la joute un tempo lascif par de lentes et délicieuses rotations du bassin, de sorte que la bouche de son chaton goulu venait buter à coups redoublés contre mon pubis, tandis que ses fesses tendres se contractaient et se relâchaient en mesure. Après le cul de la maîtresse, la moule de l'élève, quelle fête pour mon pénis exultant, ruant des quatre fers !

Auparavant, la masse mouvante des rondeurs opulentes, le frottement sec sur les parois du fourreau avaient généré une exquise brûlure à laquelle se mêlait le plaisir trouble de la transgression. Et maintenant, le vagin tout neuf, tout humecté de rosée, m'offrait une volupté d'une autre nature, mais non moins délectable.

Revenant à mes premières amours, ma rabière toute trempée du miel de la gamine, je l'enfonçai derechef dans le cul brûlant que la ténébreuse Andalouse me présentait béant, conservant en creux dans les plis de l'œillet la trace de mon récent passage.

Dès lors, j'alternai pour mon plus grand bonheur. A l'étage supérieur, quelques coups de piston dans l'anus, auxquels succédaient quelques raids dans la fente du rez-de-chaussée.

Il suffisait de descendre d'un palier pour goûter à la fois aux délices de la sodomie et aux voluptés du coït. Et pour parachever l'ouvrage, pendant que j'envaginais Inès à l'aide du manche qui venait d'astiquer le rectum de sa maîtresse, celle-ci, point avare de ses appâts, se

faisait lécher la chatte, frottant son bouton tout congestionné contre les lèvres de sa protégée, tandis que
j'appliquais une volée de claques sonores sur ses fesses
un instant délaissées.

Et c'est finalement là que je lâchai une abondante
semence, fusant à grandes giclées impétueuses, à seule
fin de m'offrir ce nouveau plaisir rare, celui de voir la
soubrette se précipiter sur le cul inondé, et d'une langue
gourmande, en recueillir le trop plein. Bonne fille, elle
le partagera avec sa souveraine dans un long baiser
mêlant leurs salives au sirop bouillonnant qui venait de
fuser.

6

Doña Esmeralda prit désormais une telle importance dans ma vie que j'ordonnai d'aménager à son intention un appartement jouxtant le mien, afin qu'elle ne fût jamais plus éloignée de moi que par l'épaisseur d'une cloison. On lui alloua deux grandes pièces lambrissées de rutilantes céramiques, donnant sur les jardins et ouvrant sur un patio fleuri de roses et de jasmin, au centre duquel bruissait une fontaine d'onyx.

Par-delà les feuillages, on apercevait au loin la mer et ses moires. Je n'omis pas de faire pratiquer un judas, dissimulé derrière une tenture, à travers lequel je pouvais à loisir observer la chambre. De cela, d'ailleurs, la nouvelle maîtresse de céans n'avait pas été tenue dans l'ignorance, qui avait applaudi à deux mains l'initiative.

– Je me réjouis, s'exclama-t-elle, d'être constamment sous l'œil de mon seigneur et maître, même – et surtout (ce disant, son regard s'alluma de lubricité)– dans la plus stricte intimité. Ainsi rien de ce qui concerne votre humble servante ne vous échappera. Mon ambition la plus chère est de tout partager avec vous.

Tout naturellement, l'antichambre échut à la fidèle

suivante. Ce qui ne manqua pas de conforter mon goût, encore naissant mais déjà affirmé, pour le voyeurisme. D'autant que les deux luronnes étaient accoutumées a évoluer en tenue légère, voire tout à fait dévêtues, réservant leurs beaux atours pour les fêtes ponctuant d'autant de points d'exclamation la vie du harem: circoncisions de fils de dignitaires, anniversaires de l'une ou l'autre de mes épouses ou concubines, nuits de ramadan, *aïd*, tout était prétexte à réjouissances, soirées musicales, danses, au cours desquelles on servait force thé aux pignons et rafraîchissements, loukoums aux pistaches et pâtes d'amande pétries dans de l'eau de rose.

Un jour que je rentrais au crépuscule d'une chasse au faucon, j'allai jeter un coup d'œil par le judas comme j'en avais pris le pli, et les surpris enlacées sur le tapis de haute laine. Nues, toutes deux, dans la lumière frisante de cette fin de journée. J'avais été bien inspiré! Un véritable régal s'offrait à mes yeux scrutateurs. Inès, étendue à plat dos, les genoux relevés à l'équerre et les cuisses écartées sur son svelte chaton aux lèvres closes sous le friselis de la toison légère, la tête exhaussée sur un coussin, s'offrait. Mon ardente favorite la surplombait de son corps de déesse, effet d'un admirable équilibre entre le dru de la chair, le fuselé des muscles et la charpente invisible, mais solide. Elle s'était placée sur la donzelle tête-bêche, de sorte que la petite plongeait des yeux éblouis au fond de la vallée sommée par le vallon mousseux de la motte, que prolongeait la ravine profondément creusée de la raie filant entre les mamelons mollement arrondis. Follement émoustillée, la novice ne fut pas longue à entamer les hostilités. Saisissant à pleines mains les fesses qui débordaient de ses paumes menues, elle darda une langue insinuante au centre de la moule béante, s'abreuvant goulûment à la source qui en sourdait, n'en décollant la bouche que pour l'insérer dans la raie qu'elle parcourait d'un bout à l'autre, non sans, au passage, vriller l'œillet avec autant d'ardeur que de délectation. Et même elle parvint, en écartelant les globes gorgés de chair de ses doigts crochetés en pleine pulpe, à élargir l'orifice, et, effilant la langue, à l'insinuer dans le conduit et à l'y faire jouer, l'enculant de la sorte comme à l'aide de la quéquette d'un enfant.

Quant à la patricienne, que ces préliminaires avaient vivement échauffée, le souffle court, la peau embrasée d'émoi, elle plongea son visage en feu au confluent des cuisses de sa partenaire. Elle préluda d'abord par en entrouvrir les lèvres scellées comme si elle écartait avec délicatesse les pétales d'une rose, puis entreprit de détailler la craquette avec une attention passionnée. Elle découvrit le sillon finement tracé dans la muqueuse rose. Jaillissant tel le pistil vibratile de quelque fleur exotique et odorante, large à la base et s'aiguisant à la cime, le bourgeon dardé, surplombant l'entrée du cratère, d'où une écume claire éruptionnait déjà. Un doigt fouineur s'y coula aussitôt, la sillonnant sur toute sa longueur, en prenant possession, en visitant les moindres recoins, en lissant les menus reliefs, en palpant les crêtes délicates, s'insinuant dans les creux avec la même méticulosité qu'un entomologiste étudiant quelque espèce rarissime et fragile. Ensuite le doigt inquisiteur, ayant à loisir exploré l'exquise efflorescence tout humectée de rosée, s'engloutit dans le vagin en un mouvement lent et continu jusqu'à la butée de la paume. Elle la niqua ainsi pendant quelques instants, par avancées profondes et constantes, le pouce massant le bouton érigé et barattant la mousse qui en suintait sur les bords, poissant les touffes de fourrure. Mais comme de son côté la jouvencelle déployait un zèle de plus en plus fervent sur la fente et le cul de sa maîtresse, soumis l'un et l'autre à une débauche débridée de succions et de léchages, elle perdit toute retenue, et se jetant sur la jeune vulve soulevée par le bassin projeté en avant, elle en mordillait les tendres lèvres, les lapait, les mâchonnait comme si elles fussent de succulentes friandises, gobait la crête tremblante, la suçotait avec ardeur, l'enserrait entre ses lèvres gourmandes comme pour en exprimer le suc.

La gamine suffoquait sous l'effet de l'excitation qui s'était emparée de tout son être, raidissant ses membres, arquant son ventre vers la bouche et les doigts qui la travaillaient diversement et sans relâche. L'abdomen plantureux lui écrasait le visage de toute sa chair vibrante, mouvante, ruisselante, qu'elle ne se lassait pas de fouiller avec la fougue de la passion amoureuse. Les chairs des deux libertines ainsi enchevêtrées en un nœud inextricable, soumises à rude épreuve, roulaient de concert d'une extrémité à l'autre du vaste tapis dont elles avaient fait la scène de leur tendre empoignade, tanguaient, houlaient, ballottées dans un tourbillon vertigineux. D'un coup les digues cédèrent au même instant, les vannes lâchèrent et leurs bouches avides se barbouillèrent des liquides sirupeux qui s'épanchaient d'elles dans une clameur qui allait crescendo. Elles se désunirent enfin et roulèrent sur le côté, pantelantes.

J'étais bouleversé par la beauté du tableau vivant dont les deux démones venaient de me gratifier.

L'harmonie de leurs formes imbriquées alliant la sculpturale beauté de doña Esmeralda à la juvénile gracilité d'Inès. Leur passion érotique, leur ardeur incandescente, leur constant souci du plus grand plaisir du partenaire, cette capacité de don de soi, cette générosité exprimée dans le foisonnement des baisers et des caresses, tout cela, mêlé au parfum du jasmin s'exhalant dans la pénombre du jour finissant, me ravissait. C'est ainsi, me disais-je, que l'humanité devrait manifester son génie, dans le plaisir donné, reçu, partagé, dans la transgression des limites de la volupté, et non dans les effusions de sang et les guerres. Les ébats érotiques n'ont rien à faire des races, des frontières et des nations qui divisent les hommes, les arment et les affrontent, lorsque les fièvres de la chair les rapprochent, les interpénètrent, les font semblables, leur ouvrent enfin les portes de la vraie fraternité, celle des lits défaits et de l'odeur capiteuse du sperme et de la mouille mêlés en un élixir précieux : l'essence même de la vie.

Pendant que ces pensées me traversaient l'esprit, la scène s'animait de nouveau. Le duo sortait de sa bienheureuse torpeur, les deux tribades s'étiraient telles des chattes s'éveillant sur l'arête d'un mur exposé en plein soleil. S'ébrouaient, se frôlaient, échangeaient en riant baisers pointus à la commissure des lèvres ou à la base du cou et attouchements légers sur le bout des seins ou la face interne des cuisses, où la peau s'affine tant qu'elle en devient diaphane. Mon ardente amante s'adressa à sa servante :

— Certes, tu as fait des progrès remarquables, dit-elle.

Mais tu n'es pas encore une femme accomplie. Tes petites grottes sont encore trop étroites. Il est vrai que tu es encore novice. Je veillerai désormais à assouplir tes adorables embouchures pour les rendre plus hospitalières.

– Oh! oui, maîtresse! répondit la suivante d'un ton pénétré, en se jetant à ses genoux et en pressant ses lèvres sur ses mains. Mon plus cher désir est d'être votre esclave soumise. Disposez de moi selon votre bon plaisir. Je vous appartiens corps et âme.

Ce disant, la demoiselle se prosterna au pied de son initiatrice, le front contre le tapis, les fesses hautes et cambrées, dont l'opulence contrastait avec la gracilité de la silhouette. Doña Esmeralda en flatta les contours rebondis d'une main lascive et, sous le coup d'une inspiration subite, courut à l'armoire d'où elle extirpa une cassette de santal incrusté de nacre, dissimulée sous une pile de linge. Sous les yeux brillant de curiosité de la novice, elle en tira un curieux instrument, dont la fonction lui sembla de prime abord incompréhensible. Ce n'est qu'en voyant sa maîtresse s'en ceindre les hanches au moyen d'un large ruban qui se nouait par derrière, qu'elle saisit son emploi. C'était l'olisbos le plus admirable qui se pût trouver. Sculpté dans le bois d'ébène, sa facture était d'un réalisme tel qu'on aurait pu le prendre pour un phallus de chair. Du plus beau noir, il manifestait une puissante érection, couronné de son gland ovoïde et de sa collerette renflée. Quant à la hampe, tavelée de vaisseaux tout gonflés, elle reposait sur le socle dense des génitoires, dont on avait poussé le vérisme jusqu'à les ombrager d'une broussaille de poils crépus. Mais, plus prodigieux encore, de la même base

s'élançait, formant un angle aigu avec la branche principale, une tige secondaire, plus mince mais de longueur
sensiblement égale, munie d'une extrémité oblongue.
Ainsi le leurre comportait-il deux pénis greffés l'un sur
l'autre, comme deux branches jaillissant d'un même
tronc.

– Ne fais pas ces yeux ronds, ma jolie, fit mon
amante préférée avec un sourire malicieux. Quand je te
disais que tu avais encore à apprendre, je ne parlais pas
en vain. Ce lingam vient d'Afrique, où les femmes en
font leurs délices, m'a-t-on dit. C'est un frère mission-
naire qui l'en a rapporté, pour en faire don à la supérieure du couvent. Nous en avons usé et même abusé
toutes deux. Elle m'en fit présent à son tour, en souvenir
des moments heureux que nous avions partagés. C'est
maintenant ton tour d'en avoir l'agrément. Ne bouge
pas, petite polissonne... Je vais d'abord te mettre en
appétit. Dans un instant, je t'assure que tu vas me supplier de combler tes orifices mignons.

Et joignant le geste à la parole, elle s'installa derrière
la novice et, sans déranger la posture de celle-ci, qui se
prêtait à merveille à son dessein, elle pesa seulement sur
l'échine afin que, reposant sur le sol par les épaules et la
poitrine, elle cambrât les fesses et écartât les cuisses,
pour s'offrir mieux encore à la gourmandise de son
amie. Cette dernière effleura alors la raie de haut en bas,
sur toute sa longueur, lissa d'un geste concentrique la
bague du sphincter, suivit la pente de la vallée secrète,
fourragea un peu dans la toison aussi légère qu'un
duvet, et s'insinuant entre les lèvres déjà humides,
débusqua le clitoris qu'elle roula doucement entre le
pouce et l'index. Sous l'habileté des doigts experts, la

petite haletait, tanguait des fesses, s'écartelant davantage, réclamant un assaut plus substantiel.

– Patience, ma petite chérie, lui susurrait l'Andalouse. Le plaisir est le prix de l'attente, n'oublie jamais... Je veux voir ton petit con couler dans ma main comme une fontaine. Tu verras comme c'est bon quand je te ramonerai la chatte et le trou du cul en même temps. Deux pieux dans tes trous jolis te limant à qui mieux mieux. Tu vas en raffoler, petite dévergondée de mon cœur.

Bientôt la langue prit le relais des doigts, lapant l'entrejambe de la gamine, tantôt à coups lents et lascifs, passant et repassant dans la raie et entre les lèvres baveuses tel un pinceau, et tantôt à petits coups brefs, s'effilant pour vriller l'une ou l'autre grotte, pareille à un fouet, minuscule et virevoltant.

Puis, jugeant sans doute que ces prémices avaient atteint leur but, en un geste plein de tendresse, elle enfila l'extrémité de la tige principale dans la fente débordante de jus. Inès écrasa son buste sur le tapis tout en propulsant son bassin en arrière, afin de se prêter mieux encore à la pénétration du noir phallus, dont la tête disparaissait déjà dans le conduit huilé. Ce faisant, son petit trou vint de lui-même se placer face à la seconde branche. D'un coup de rein félin, l'experte libertine l'y glissa, le menant pas à pas, en sorte que les deux compères avançant de pair comblassent les deux orifices. Seules les couilles, telles deux prunes de belle taille, restaient visibles, plaquées à la vallée ouverte, livrant à découvert les versants roses de ses mamelons tendres, et tout en bas la fourrure sur laquelle se détachait en sombre la base fourchue du lingam. Maintenant la baiseuse et la baisée, ayant accordé le rythme de la double pénétration, ondulaient de concert, la première imprimant à son bassin un mouvement de va-et-vient, et la seconde basculant en arrière, tandis que le zob à deux branches ripait à la fois les deux fourreaux avec un clapotement de chairs trempées. Et voilà nos deux hétaïres voguant vers Cythère toutes voiles dehors.

Derrière la cloison à travers laquelle me parvenaient leurs gémissements conjugués, fasciné par le cul de l'Espagnole qui se contractait et se rétractait à chaque coup de rein, et les avancées du phallus dans les orifices d'Inès, je n'y tenais plus. Ma queue s'embrasait tel un tison, mes bourses fourmillaient d'une excitation qui allait crescendo. Hors de moi, je fis irruption dans l'appartement des femmes, et sans leur laisser le temps de se remettre de leur surprise, je tombai à genoux devant l'adolescente, la lance extirpée en toute hâte de mon saroual. A peine la jouvencelle eut-elle réalisé la situation qu'elle ouvrit grande la bouche et l'y enfourna avec un bruit de succion. La salive torride ne fit qu'attiser le feu qui me dévorait, alors que la pulpe des lèvres m'enserrait dans un anneau de velours. Fou de désir, je poussai mon dard plus avant, cherchant le fond de la gorge, sans souci de la violence des coups que je lui assénais en ahanant…

Ainsi la jeune suivante se trouva prise, et triplement. Baisée, enculée, et en prime ma queue ruant des quatre fers au fond de son gosier, saccageant les tendres muqueuses de sa bouche et de son palais. Echevelée, les yeux hagards, tout le corps secoué par la triple intrusion, labourée au plus profond de ses cavités, elle ne demandait pourtant pas grâce, soutenant avec bravoure le triple galop dont le rythme s'accélérait sans faiblir.

Tandis que la patricienne, emportée par la passion érotique, lui niquait à tout va le vagin et le cul, je la baisais
dans la bouche qu'elle ouvrait à s'en décrocher la
mâchoire afin que je puisse y aller et venir tout mon
saoul. Soudain, elle émit un borborygme, un faisceau de
frissons lui parcourut les flancs : elle jouissait, sans
savoir si l'orgasme irradiait de son con ou de son cul.
C'est à cet instant même qu'à mon tour j'explosai, me
vidant à longs traits convulsifs contre sa glotte, et y res-
tai enfoncé jusqu'à la dernière goutte. Quant à ma favorite, elle se défit prestement de l'olisbos trempé de
mouille, et se jetant les bras en croix sur le tapis, le
ventre arqué, ne touchant terre que par les épaules et les
talons, les cuisses ouvertes au grand compas, elle s'en
saisit par la base et se l'enfourna d'un seul coup.
Quelques mouvements de flux et de reflux suffirent
pour déclencher une fulgurante extase, qui éclata en un
long feulement de lionne en rut.

Décidément séduit par sa science érotique, je confiai
à la reine de mon harem le soin d'instaurer une cour
galante qui fût à la hauteur de ses talents. Elle prit à
cœur de mener à bien la mission dont je l'avais investie,
aidée en cela par son inséparable dame de compagnie.
Elle opéra d'abord une première sélection. D'emblée,
les candidats – filles et garçons – étaient choisis sur des
critères purement physiques. Ainsi écartait-elle impitoyablement les maigres et les grosses, les petites et les
contrefaites, les laides et les disgracieuses, ne retenant
que celles dont le corps harmonieux, la mine avenante,
le charme en un mot semblaient les prédisposer à une
galanterie bien vécue. Quant aux pages ou aux échan-

sons, ils devaient être imberbes, les membres déliés, le regard éveillé, la peau et les dents saines. Les boutonneux, les trapus et les fiers-à-bras furent rejetés sans appel. Son dessein était de former un vivier d'adolescents des deux sexes, où nous puiserions à notre gré d'agréables compagnons de jeux.

Elle n'eut que l'embarras du choix. Les mignonnes affluèrent de toutes parts. Leurs géniteurs eux-mêmes les présentaient au palais pour y postuler selon leur condition, tantôt pour un emploi de demoiselle d'honneur, tantôt pour servir aux cuisines ou à la lingerie. De plus, les cales de mes vaisseaux regorgeaient de captives cueillies sur les côtes razziées par mes janissaires. Ainsi, parmi cette floraison abondante dans sa diversité, il n'était pas difficile de trouver son bonheur.

Mais ce premier tri n'était en rien définitif. Encore fallait-il soumettre les élus à un examen de passage, auquel présidait l'ordonnatrice des plaisirs, afin de juger de leurs dispositions érotiques. Et pour abriter ce banc d'essai, nul lieu ne se prêtait mieux que le pavillon contigu à mes appartements, d'où, sans être vu, je pouvais à mon gré assister aux épreuves.

Ce jour-là, deux jeunes gens furent introduits auprès du jury. L'ardente Andalouse présidait, parée de mousseline à travers quoi transparaissait la splendeur de sa chair ambrée. A ses côtés, Inès, les seins nus dardant leurs fraises couleur de corail et les hanches ceintes d'un pagne fendu qui, au moindre mouvement, dévoilait le galbe de sa cuisse fuselée, trônait sur une ottomane jonchée de coussins bigarrés. Toutes deux, mollement accoudées à la soie chatoyante, auraient réveillé le désir du plus dévot des ascètes. Quant aux éphèbes, baignés de frais, ils ne portaient pour tout vêtement qu'une ample culotte bouffante retenue à la taille par un simple lacet noué sur le devant.

Le premier, grand pour ses seize ans, la peau mate comme un pruneau, des boucles de jais ruisselant sur la nuque fine et la prunelle noisette, semblait un bronze de Praxitèle. Quant à son compagnon, plus fluet, doré comme les blés, l'œil d'un bleu intense illuminant un minois délicatement ciselé, il paraissait son cadet d'une ou deux années tout au plus. Il avait conservé de sa récente enfance des rondeurs potelées et roses de pucelle. Tout intimidé, rougissant, il baissait la tête, tandis que le beau ténébreux levait sur les deux femmes deux yeux intrépides. L'enjeu était grave. Ou ce serait l'échec et en conséquence le marché aux esclaves, avec tous les aléas encourus, dont le risque de tomber entre les mains d'un maître peu scrupuleux qui les ferait trimer sang et eau jusqu'à ce que mort s'ensuive, ou alors, le succès qui leur ouvrirait toutes grandes les portes du statut fort envié de page, assorti de tous les avantages inhérents à la fonction, une nourriture abondante et délectable, une riche garde-robe, les privilèges et les honneurs et, ce qui n'était pas le moindre des avantages, la perspective d'une carrière dans la marine barbaresque, et pourquoi pas, plus tard, un grade de dignitaire.

— Comment vous nommez-vous ? demanda l'examinatrice aux garçons qui se tenaient devant elle, muets d'appréhension.

— Antonio, répondit l'aîné. Mais on m'appelle Nino.

— D'où viens-tu ?

— De Salerne, non loin de Naples.

– Et toi ? dit-elle s'adressant au cadet.

– Démétrios, balbutia-t-il. Je suis né en Crète, où j'ai été enlevé.

– Eh bien, Nino et Démétrios, montrez-nous ce que vous savez faire. Ne soyez pas timides ou alarmés. Avons-nous l'air d'ogresses ? pouffa-t-elle, enlaçant sa suivante et, lui prenant le sein dans sa main arrondie en coupe, elle en happa le téton en une succion gourmande. Son regard égrillard fixait intensément les deux éphèbes.

Ainsi, le ton était donné. Nino, le plus déluré, posa sa main bien charpentée, aux doigts déjà forts, sur le visage de son compagnon, le caressant doucement, d'abord le front lisse, puis les joues rebondies et la bouche ourlée de lèvres purpurines et gonflées d'une moue encore enfantine. Puis, le prenant par le cou en une étreinte à la fois tendre et dominatrice, il lui renversa le visage et écrasa une bouche vorace sur les lèvres du gamin. Celui-ci esquissa d'abord un mouvement de recul, mais pris dans l'étau des bras puissants de son corrupteur, il céda d'un coup, se laissant entraîner par la houle, entrouvrant la bouche à la langue impérieuse qui le forçait, s'enfouissait toute raide et humide dans sa gorge où elle se mouvait à son gré. L'étreinte sauvage ne se desserrait pas d'un cran, tandis que les mains du prédateur parcourait sans relâche le corps de sa proie, l'explorant sous toutes ses coutures, palpant les épaules dodues, descendant le long de l'échine jusqu'au creux des reins qu'elles flattaient, remontant le long des flancs pour enfin venir investir la poitrine potelée et en saisir les minuscules tétons qu'elles roulaient entre les doigts d'un geste lascif. Le

petit avait abdiqué toute défense, se livrant au conquérant qui ne désemparait pas de lui fouiller la bouche, de
lui sucer la langue, de le palper par tout le corps, de se
frotter contre lui comme un fauve en rut. D'un geste
brusque, il délaça sa culotte qui tomba à ses pieds, révélant un ventre musclé, sommé d'une touffe de poils
noirs comme le charbon d'où pointait, déjà en pleine
érection, une bite vibrante telle une baguette de coudrier, d'une belle couleur bistre, qui arracha un cri
d'admiration aux deux spectatrices. Au même instant, il
pesait fermement sur les épaules du gosse, et dès que
celui-ci fut agenouillé à ses pieds, se saisissant de sa
verge, il se mit à lui en caresser le visage. Le gland gonflé passait et repassait sur le front, les joues, le cou du
mignon, se délectant de la douceur de cette peau
d'enfant. Enfin il la lui frotta sur les lèvres qui, d'abord
serrées et réticentes, s'entrouvrirent enfin pour lui livrer
passage. La tête congestionnée s'y engouffra en hâte,
puis la hampe, tandis que le gamin, la gorge renversée
en arrière, au bord de la suffocation, engloutissait le zob
jusqu'aux couilles. L'autre, ayant ainsi affirmé sa domi-
nation, se fit plus tendre, et les yeux mi-clos, savoura la
succion des lèvres pulpeuses qui l'aspiraient, le roulaient doucement entre les faces internes des joues,
l'enrobaient de salive fraîche, le léchaient à petits coups
de langue. La fellation trouva son rythme de croisière
sous le regard allumé des deux femmes, dont les seins
dardés se soulevaient à la cadence du coït buccal.

— Ne jouis pas dans sa bouche ! cria la présidente. Je
veux te voir le sodomiser.

Cependant Nino ahanait, le souffle court, les mâchoires
crispées, une grosse veine battant à son cou robuste de

jeune athlète, prêt à lâcher son foutre dans la bouche si accueillante et si tendre qui le pompait avec ferveur. Mais il ne pouvait risquer de déplaire à celle qui allait décider de son sort. A regret, il retira donc sa queue toute rouge et noueuse du nid douillet qui l'enserrait, démontrant par là et son obéissance et une maîtrise de soi qui, toutes deux, plaidaient en sa faveur. Avec un geste empreint de tendresse, prenant son partenaire par la taille, il le guida vers l'appui de la fenêtre, où le poussant aux épaules, il l'obligea à s'accouder. Puis il dénoua le cordon qui maintenait la culotte, dévoilant une paire de fesses joufflues et roses qui n'auraient pas déparé la plus désirable des jeunes filles en fleur. Tandis que l'autre lui écartait les jambes afin de rendre la posture plus propice à son dessein, Démétrios tremblait de tous ses membres, suppliant son compagnon :

– Non, non, pas ça ! Je ne l'ai jamais fait. Je te ferai ce que tu voudras, mais ne me casse pas le cul, je t'en conjure ! S'il te plaît, Nino, ne me fais pas de mal…

– Arrête de pleurnicher, s'écria doña Esmeralda, interrompant ses jérémiades. Tu verras que ça ne fait pas mal. A moins que tu ne préfères les mines de sel…

A cette menace, le malheureux étouffa ses plaintes et se laissa manipuler par Nino qui, l'ayant disposé à sa convenance, mordillait sa nuque tendre, faisait glisser sa bouche torride le long de sa colonne vertébrale alors que ses mains avides frôlaient les flancs frêles. Des frissons parcouraient l'échine du giton. Son fouteur, posant genoux à terre, saisissait les fesses à pleines mains, les malaxaient, les pétrissaient, les disjoignaient enfin pour darder une langue fureteuse dans la raie livrée à sa voracité. L'autre, en proie à un trouble profond, bien campé sur ses jambes lisses, cambrait à présent le cul, alors que son pénis fluet, émergeant de son buisson clair, se dépliait, se fortifiait, s'enflait, se dressant tout raide sur l'abdomen svelte. Cependant, la langue du sodomite chargée de salive se glissait dans la bague étroite du sphincter vierge, l'humectait, l'assouplissait, le préparait à l'intrusion. Quand il le jugea à point, il se releva et, l'empoignant aux hanches, pointa le zob dans le trou minuscule. D'un coup de rein souple, il le vrilla. Le gosse réprima un cri de douleur, se mordant la lèvre jusqu'au sang. L'assaillant observa une brève pause, attendant le reflux de la souffrance, puis reprit sa fouille avec lenteur, avançant pas à pas dans le rectum qui se dilatait sous sa poussée. Enfin l'engin parvint au bout de sa course, les couilles collées aux rondeurs écartelées. Le piston se mit alors en branle, avançant et reculant selon une cadence d'abord dolente et mesurée, puis de plus en plus vive et haletante. Nino, les sens exacerbés, les yeux brillant de désir, avait passé son bras autour du cou de son giton. Le menton posé au creux de son épaule, il lui léchait la nuque à grands coups de langue pleins de fougue. Démétrios, empalé jusqu'au fond du fondement, la peau embrasée, tournait le visage pour happer la langue de son baiseur dans la bouche et la sucer comme il eût fait d'un bonbon.

A ce spectacle, les deux luronnes n'y tinrent plus. Sans même se concerter, elles se précipitèrent sur les amants noués, et alors que mon amante lubrique entreprenait le sodomisateur, la servante délurée jetait son dévolu sur l'enculé. La première se jeta sur le cul de Nino, et insérant une langue agile entre les fesses musclées, elle accompagnait la cadence en lui vrillant l'anus.

Pendant ce temps, Inès se lovait entre les jambes du gamin, et lui saisissant la verge, en usait comme d'un sucre d'orge, l'enfouissait tout entière dans sa bouche goulue avec les mignonnes roupettes. Le petit, aux anges, répercutait les coups de boutoir que subissait son cul dans la gorge de la belle fille, tandis que la bite de son amant le pilonnait de plus belle.

A ce rythme, la joute ne pouvait se prolonger bien longtemps. Le giton céda le premier, son sperme clairet jaillit entre les lèvres de la brunette, qui se fit un plaisir de le ponctionner jusqu'à la dernière goutte. Un instant après, Nino inondait le conduit anal où sa queue explosait en longues giclées spasmodiques. D'un revers de la main, l'Andalouse l'écarta du fondement dépucelé de frais, où elle plongea les lèvres pour recueillir le trop plein qui s'en écoulait, lapant à petits coups la crème épaisse et chaude.

A ces deux-là, au moins, le marché aux esclaves serait épargné.

Quelques jours plus tard, alors que j'étais encore posté au judas à l'heure où les deux tribades avaient l'habitude de recevoir les candidats à la cour orgiaque, je vis entrer une femme au port de princesse, escortée de deux adolescents faits à ravir. Elle, la trentaine épanouie, telle une rose de mai, arborait une chevelure flamboyante, couronnant un visage de madone de Raphaël, ciselé dans la nacre. Elle tenait par la main, d'un côté une jeune fille qui lui ressemblait comme deux gouttes d'eau – mêmes yeux d'un vert émeraude, même bouche aux lèvres boudeuses, même nez droit d'Aphrodite –, et de l'autre un charmant godelureau dont le regard d'encre pétillait d'intelligence, bien planté sur des jambes nerveuses de pur-sang.

Il ressortait de son discours que la *signora* Gilda était native de la Sérénissime. Elle avait pris la mer en compagnie de sa fille, ici présente, et de son neveu qu'elle avait recueilli depuis que ses géniteurs avaient été emportés par une épidémie de choléra, pour aller à Livourne rendre visite à des cousins. Son navire avait été abordé par mes flibustiers et envoyé par le fond. Capturée avec ceux des passagers qui n'avaient pas laissé leur vie dans l'aventure – soit fauchés par une canonnade, soit tombés à la mer et noyés –, elle avait été conduite céans. Elle précisa qu'elle ne désirait rien pour elle-même, mais qu'elle se souciait d'établir les deux enfants dans la grâce de Ramzi Pacha, l'aigle des mers, dont la réputation d'immense mansuétude avait traversé les océans.

Après avoir entendu ses explications, ma favorite de feu demanda si les « enfants » avaient reçu une éducation propre à servir dans les appartements de Sa Seigneurie.

– Madame, répondit-elle avec un sourire entendu qui flamboya dans ses yeux avant d'étirer la pulpe fruitée de ses lèvres, je suis femme de marin. C'est dire que la solitude était mon lot quotidien que je trompais en inculquant à mes jeunes compagnons les rudiments de l'art d'aimer. Laetitia, ajouta-t-elle en désignant sa fille d'un geste gracieux, bien que vierge, n'est pourtant pas tout à fait ignorante des choses de l'amour. Quant à Fabio, sa vigueur et sa prestance lui ont déjà valu quelque succès auprès des dames de San Marco. J'ai la faiblesse de croire qu'à lui non plus mes modestes leçons n'auront pas été inutiles.

Doña Esmeralda conclu le prologue en ces termes :

– Madame, loin de nous l'idée de mettre en doute votre parole, mais nous jugerons sur pièces. Voulez-vous prendre place à nos côtés, pendant que ces jeunes gens nous montrerons l'étendue de leur science amoureuse.

Se décalant sur le sofa, Inès fit place à la Vénitienne, qui se trouva ainsi encadrée par les deux examinatrices. Cependant Fabio avait attiré sa cousine dans ses bras, qui s'y était blottie sans déplaisir ni réticence, ce qui dénotait une longue pratique d'affection entre le damoiseau et la demoiselle. Fourrageant dans la chevelure drue qu'on aurait dite tissée dans le cuivre, il lui renversa la nuque, les lèvres butinant l'encolure gracile, le lobe de l'oreille, les joues de pêche, et pour finir s'écrasèrent sur la bouche offerte qu'elles dévorèrent avec un appétit décuplé par un long carême. Quant à la sylphide, les bras noués serré autour du cou de son ami, le corps arqué se pressant contre le torse large mais svelte, les yeux clos, elle présentait l'image même de l'abandon à la passion érotique et à ses emportements. D'une main fébrile, il défit la tunique de la nymphe. En un clin d'œil elle fut nue, frémissante, soumise aux désirs du mâle. La finesse des articulations jointe à la carnation laiteuse, à sa blondeur rayonnante, conféraient un charme exquis aux menues pommes des seins rehaussés de tétons formés à ravir, au ventre ombragé d'un duvet doré et aux fesses étroites, mais dont les deux sphères symétriques semblaient avoir été modelées par un maître sculpteur. Quand à son tour il laissa tomber son vêtement, il apparut dans la vigueur de ses dix-sept ans, les muscles harmonieusement distribués autour d'une charpente solide, de laquelle émergeait une verge de belles proportions, d'une chaude couleur de chocolat au lait, dont l'érection mettait à nu un gland effilé à l'imitation de ces sexes luisants de chiens en chaleur.

Toujours enlacés, les membres enchevêtrés, les bouches fondues l'une dans l'autre, ils chutèrent sur le tapis moelleux. Tantôt il prenait le dessus, l'écrasait sous son poids, la parcourait tout entière, explorait avec ferveur ses replis secrets et ses reliefs érectiles, se coulait au creux de ses tendres vallées, pétrissait ses chairs encore enfantines, tantôt c'était elle qui, d'une reptation féline, s'exhaussait sur lui, le palpant, l'effleurant, insérant une cuisse satinée entre ses jambes puissantes, et la frottant contre le zob durci comme pour l'astiquer, en peaufiner le brillant. Leur duo, tel l'affrontement ludique de deux chiots, quoique désordonné, n'était pas dénué d'une émotion érotique qui allait crescendo dans une débauche de baisers, d'attouchements, de légères morsures et de titillements. Ballet de langues lécheuses, suceuses, insinuantes et fureteuses qui ne cessaient de s'accoupler, de se nouer et de se dénouer sans trêve.

De leur côté mes deux friponnes, échauffées par le spectacle, ne se retenaient plus. Elles serraient entre elles la Vénitienne, préludant par d'aériennes caresses et des effleurements subtils. Et celle-ci, loin de les repousser, allait au-devant de leurs désirs conjugués, dénudant les globes de sa poitrine telles deux poires mûres et les offrant aux ardentes tribades. S'enhardissant bientôt, elle fit glisser sa robe sur ses cuisses pleines où les taches de son faisaient comme un semis de pépites d'or jeté sur la blancheur de la peau.

Doña Esmeralda s'empara d'un sein, roula doucement le bourgeon turgide entre ses doigts, l'agaça, le téta tout en ne perdant rien de la joute des enfants toujours noués sur le tapis. Inès ne demeurait pas en reste. Elle lapait le cou et les épaules de la rousse à grands coups de langue, descendait le long du sillon qui partageait le dos ferme, pour enfin errer au creux des reins, et amorcer quelques incursions lascives vers les fesses crémeuses s'évasant sur la soie chatoyante du sofa.

Cependant les deux cousins poursuivaient leurs ébats de plus belle. Maintenant Laetitia était allongée à plat dos, les genoux relevés et les cuisses écartées, tandis que Fabio la chevauchait à rebours, campé au-dessus de son visage auréolé de la lumière incendiée de ses cheveux épars. Vorace, la bouche du garçon plongeait dans la vulve presque glabre, où il avait insinué une langue agile après en avoir entrouvert les lèvres rosées entre le pouce et l'index. Le ventre de la petite tanguait comme une nacelle ballottée par la tempête, houlait, se soulevait et retombait à la cadence de la langue qui la fouillait, prenait possession de son bouton affolé, la tétait. Et elle, rejetant les bras en arrière et empoignant à pleines mains les fesses musclées du jeune athlète, amena le zob au niveau de sa bouche qu'elle engloutit avec délectation. Ainsi, leurs bouches rivées chacune au sexe de l'autre, ils ondulaient de pair. Il dévorait le conin tout frais tel un bouton de rose, et elle écartait autant qu'elle pouvait les lèvres pour accueillir le phallus bandé et lui permettre d'aller et venir à son aise dans son palais hospitalier.

Mon Andalouse, qui continuait à lutiner la belle rousse avec nonchalance mais non sans gourmandise, pensait que l'orgasme n'allait pas tarder à défaire ce

nœud de chairs fraîches, tant le rythme du double coït
buccal s'accélérait. Mais les adolescents, sans doute
chapitrés par leur tutrice et instruits par l'expérience
acquise au cours de précédentes fêtes galantes, se dépri-
rent, soulevant une exclamation de déception chez les
spectatrices. Mais il faut croire que dans les parages du
lion de Saint-Marc les jeunes gens ont plus d'une corde
à leur arc, car sitôt qu'elle eut libéré la queue de son
amant, Laetitia se jeta à genoux, les épaules touchant le
sol, tandis que son adorable cul cambré offrait grande
ouverte la vallée nacrée entre les collines jumelles des
fesses. Alors on vit, brillant tel un soleil levant, son petit
trou imberbe que cernait l'anneau serré du sphincter.

Quant au garçon, comme dans un ballet minutieusement réglé, il se campa prestement derrière elle, et
maniant sa verge encore toute trempée, en usa comme
d'un pinceau pour chatouiller d'un même mouvement
descendant et ascendant les deux orifices exposés à sa
reconnaissance. Toutefois, il se gardait bien de forcer
l'une ou l'autre serrure, dont il se contentait de frictionner l'entrée de son gland turgescent. Nul doute qu'on
l'avait sermonné, et qu'il savait le prix de la virginité de
sa cousine. Il en jouissait donc, sans la déflorer, lui pro-
curant de la sorte un réel plaisir, mais sans mettre en
péril son « innocence ». Le membre allait et venait dans
la raie tout humectée par la mouille de la vestale qui
s'échauffait, les fesses basculées en arrière, les cuisses
écartées au grand compas, l'échine affaissée et la respiration saccadée.

Sur ce Inès, sans doute lasse de se contenter des
restes de la citoyenne de la Sérénissime que consentait à
lui laisser sa maîtresse, se précipita sur le couple, non

sans avoir ceint un olisbos noir comme le jais, fait d'une matière élastique gantée de l'agneau le plus fin qui se puisse trouver. Elle l'avait découvert dans la cassette secrète de son initiatrice, qui en contenait toute une panoplie. La douceur du cuir en faisait un substitut viril fort attrayant, en dépit de la relative modestie de son calibre. Ainsi accoutrée, elle semblait un éphèbe à l'émoi éveillé. Elle avait déjà choisi sa cible et, se postant dans le dos de Fabio dont la posture favorisait son dessein, elle n'eut plus qu'à pointer son instrument dans l'anus du bretteur. Celui-ci était trop accaparé par sa besogne pour se dérober. D'un coup de rein, elle l'enfile. Un instant, il se raidit, pousse un geignement, interrompt son badigeonnage. Le saisissant aux hanches, l'accorte soubrette ne lâche pas prise, l'empalant sur le sombre engin jusqu'à ce que son ventre vienne buter sur le fessier écartelé.

Le trio se mit en branle, et atteignit bientôt sa vitesse de croisière. Tandis qu'Inès l'enculait avec de moins en moins de ménagement, Fabio ne cessait d'exercer son mouvement pendulaire sur l'anus et la vulve de Laetitia qui râlait doucement, le bassin roulant dans la houle du plaisir, encouragée par sa mère alanguie dans les bras de doña Esmeralda, laquelle avait saisi sa conasse à pleines mains, tandis que son index disparaissait dans le vagin jusqu'à la paume.

– Jouis, ma petite chérie, l'exhortait-elle entre deux gémissements. Ce que tu es belle dans le plaisir, mon trésor ! Une vraie madone du Titien !

C'est alors que le séisme éclata comme un orage crevant après la canicule. La petite se mordit les lèvres au sang, une longue plainte s'exhala de sa bouche haletante, ses côtes s'élevèrent et s'abaissèrent selon un rythme endiablé. Au même instant jaillit le flot de sperme, inondant sa raie et s'égouttant sur le versant des cuisses jusqu'au tapis. Inès libéra son engin de l'étau où il se mouvait, et l'empoignant à la base, se l'enfourna en toute hâte entre les cuisses, où elle se mit à l'agiter avec fébrilité. Elle retomba enfin, épuisée, le manche toujours profondément enfoui dans l'estuaire bavant sur sa fourrure, les joues en feu, hors d'haleine.

Je me surpris à haleter, moi aussi. Ma queue était si tendue qu'elle en devenait douloureuse. Et si rouge qu'on aurait dit une colonne de sang. Faire irruption dans l'appartement contigu et me précipiter sur l'ottomane, où l'Andalouse et la Vénitienne n'en finissaient pas de se mignarder lascivement, ne fut que l'affaire d'un instant. Si ma favorite ne fut guère surprise de mon intrusion, la signora Gilda en resta interloquée. Rapidement instruite par l'Andalouse, elle ne tarda guère à reprendre ses esprits, et à s'abandonner à mes investigations fébriles. L'heure n'était plus aux préliminaires, chauffé à blanc comme je l'étais. Je tentais d'apaiser la brûlure de ma bouche à la source de ses lèvres, mais elles me cuisaient plus encore. Mes mains embrasées allumaient un foyer d'incendie au creux de ses aisselles emperlées de sueur, enfiévraient le bout dardé de ses seins dorés comme des grenades mûres, enflammaient le buisson flamboyant au confluent de ses cuisses aussi pleines que des melons d'eau.

Je me consumais dans le brasier de cette chair de porcelaine à la saveur de sang torride. De son côté, loin de rester passive, elle s'offrait sans réticence aucune, projetait vers moi son ventre ardent de braises, cambrait des reins de jument prête pour la saillie, écartait les cuisses, m'empoignait le membre à pleines mains, où il coulissait comme dans un gant de satin.

Ce fut la volcanique Ibère qui, comme à l'accoutumée, arrangea la posture à la satisfaction générale. Adossée aux coussins soyeux, elle planta les talons sur le bord du divan et ouvrit les cuisses. Sa chatte royale révéla ses moindres recoins, ses tendres aspérités érectiles et l'orée de sa cavité débordante d'écume, fruit juteux luisant au creux du sillon séparant les lèvres charnues. Au milieu, le bouton dressait sa crête gorgée de sang. La *signora* Gilda ne fut pas longue à saisir ce qu'on attendait d'elle. Elle se jeta au pied de l'ottomane et, insérant une langue gourmande dans la fente ruisselante, elle entreprit d'en laper la mousse à grandes léchades goulues. Quant à moi, tombé à genoux à l'envers de ses reins, je glissai mon zob fou d'impatience au centre de sa moule fondante. Il s'y engouffra jusqu'à la garde avec un chuintement mouillé. Son vagin était velouté, chaud comme l'enfer, point trop étroit et point trop large, juste à ma pointure. Le jus en déferlait en cascade, au point que mes couilles en étaient toutes trempées. A mes han de bûcheron répondaient les feulements des femmes, dont le plaisir montait vers de vertigineuses cimes. Ayant capturé dans mes paumes les tétins de la signora Gilda, j'en palpais les bourgeons dressés. Mes doigts malaxaient la pulpe onctueuse des seins, la pétrissaient, la pressaient et la relâchaient à la cadence de ma bite allant et venant dans son fourreau de feu, le dilatant, le moulant à mes mesures. Cependant la Vénitienne passait ses mains sous les fesses de l'Espagnole, aventurait une langue virevoltante dans la crevasse qu'elle écartait de ses pouces, dévorant alternativement la figue et l'œillet avec une égale gourmandise. Chaque secousse que je lui imprimais se répercutait ainsi dans l'entrejambe de l'Andalouse qui la recevait avec un râle de plaisir. Dans le même temps, elle pinçait ses mamelons entre le pouce et l'index, tant elle les sentait dardés, turgides. Pour ma part, je ne me lassais pas de plonger mon tison dans le creuset en fusion, de le tremper dans le magma incandescent qui y bouillonnait, telle une lame dans un bac de charbons ardents.

Mais, d'un brusque recul, j'abandonnai le vagin igné et portai le fer rouge au bord de la pastille lumineuse de blondeur que je forçai d'un coup de rein résolu. Emportée par son élan, la tête ovoïde se fraya un étroit passage dans le boyau, y rampant à reptations saccadées jusqu'à la garde. Et elle, en amoureuse avertie, se dressant sur les genoux et cambrant les fesses, fit en sorte que le mandrin se trouvât pris entre les tendres meules resserrées comme en un écrin de satin. Ainsi, alors que le fer de lance se propulsait au fond de son cul, la tige se délectait de glisser entre les sphères mouvantes, et de s'y embraser. Mes bourses gonflées y trouvèrent également leur compte, qui venaient à chaque avancée se rafraîchir à la source sourdant de la moule encore hantée par le souvenir du piston qui l'avait à peine quittée.

L'incendie du désir me dévorait la chair, coulait dans mes veines en rivières de feu. Soudain le foutre s'arracha de moi, fusant au tréfonds du cul de la Vénitienne. Elle couina comme si elle avait été éclaboussée par un jet brûlant. Le feulement de ma favorite couvrit son cri, de sorte qu'elle se trouva inondée à l'arrière et dans la

bouche par deux averses bien différentes, l'une grumeleuse et lourde, et l'autre fluide et onctueuse, pareille à
la salive d'un nourrisson. Je n'en finissais pas de gicler,
et l'Ibère de répandre son écume, tandis que Gilda
recueillait avidement les émanations liquides de nos
extases concomitantes. Doña Esmeralda, point égoïste,
se dégagea bien vite et, renversant la Transalpine sur le
tapis les quatre fers en l'air, lui enfourna deux doigts
réunis dans la chatte. Quelques instants encore, et celle-
ci brama sa jouissance, non sans s'être mordu la lèvre
jusqu'au sang.

7

La cour d'amour était enfin instaurée. Doña Esmeralda l'avait composée avec l'art et la sûreté de goût auxquels elle m'avait accoutumé, équilibrant l'élément viril et la composante féminine, la puissance des uns et la beauté des autres, les inclinations et les préférences de chacun, les réunissant enfin dans une appétence commune de la chair, relevée d'une sensibilité particulière au raffinement et à la recherche de la jouissance la plus haute.

C'est ainsi qu'elle élut Nino, le Napolitain, pour sa morphologie d'athlète et sa fougue toute méridionale et Démétrios pour la finesse de ses traits et la délicatesse de son corps d'éphèbe. Quant à Fabio, c'est sa science amoureuse qui le fit distinguer, déjà affirmée en dépit de son âge. Pour Achmet, les proportions proprement gigantesques de son boutefeu lui valurent sans doute le privilège de participer aux plaisirs du cénacle. Et si on lui adjoignit Fahim, son aide, l'éclat de son regard où étincelait un tempérament de feu n'y fut pas étranger.

Pour la gent féminine, Inès, en sa qualité de fidèle suivante et de disciple douée de remarquables disposi-

tions, fut la première à recueillir tous les suffrages.
Gilda et Laetitia, la digne fille de sa mère, outre leurs
appâts contrastés – l'une sculpturale, et l'autre fragile
comme un Tanagra – présentaient l'avantage de créer
une situation hautement érotique, mêlant la mère et la
fille dans les mêmes ébats.

Enfin, une jeune lingère prénommée Leïla attira l'œil
de l'Andalouse qui avait un don particulier pour flairer
la concupiscence, fût-elle cachée sous les oripeaux les
plus humbles.

C'était une brune aux grands yeux taillés en amande,
dont la luxuriante chevelure aile de corbeau déferlait en
vagues brillantes jusqu'à la taille. Elle dansait à ravir,
les seins ambrés tressautant hors du corsage lamé au
moindre mouvement, le nombril tel un bouton de nacre
roulant au centre de la plage vallonnée du ventre, et la
croupe callypige gonflant à craquer la mousseline diaphane du saroual, qui s'animait de lubriques ondoie-
ments pour peu qu'elle perçût la moindre percussion.

En hiver, les journées sont brèves. Ce soir-là, on dîna
dès le coucher du soleil, qui s'éteignit dans la mer tel
une lanterne chinoise. Au-dessus de la ligne circulaire
de l'horizon éclata une symphonie de lueurs alternant le
carmin et le rose, superposant le violet au mauve. Le
clou de cette soirée d'ouverture était la célébration des
noces de Laetitia, certes vierge, mais point innocente
comme on le sait. La présidente avait veillé en personne
aux préparatifs. En guise de théâtre, elle avait choisi
une rotonde qu'elle avait fait recouvrir d'un bout à
l'autre d'étoffes de Boukhara et de tapis de Chirâz, tandis que, adossés aux parois courbes, de larges sofas jon-
chés de coussins multicolores offraient le moelleux de

leurs épais matelas tendus de brocart. Au centre trônait un vaste lit circulaire recouvert de satin virginal. Une profusion de flambeaux et de candélabres diffusaient une lumière tamisée qui exaltait l'éclat des carnations, léchaient de leurs reflets changeants le galbe des chairs, non sans ménager des pans d'ombre où l'imagination pouvait se pavaner à son gré et décupler les joies de la découverte. De brûle-parfum niellés d'argent montaient, lascives, des fragrances de musc et de santal. Disposés sur des guéridons incrustés de nacre, toutes sortes de flacons et de friandises pourvoiraient à la restauration des énergies défaillantes.

Les femmes se paraient de justaucorps brodés de fils d'or qui, serrant au plus près la taille, exhaussaient les seins laissés libres dans leurs précieux écrins de faille d'un jaune solaire, ou encore amarante, turquoise, ou aigue-marine. Richement ceinturés juste au-dessous du nombril, des sarouals de mousseline mordorée laissaient transparaître les ventres et les cuisses, voilaient en les dévoilant les croupes et les mollets auréolés de moirures et de luisances, bruissant d'un frou-frou soyeux à chaque pas. Quant aux hommes, ils avaient revêtu des caftans chamarrés doublés de satin écarlate, et ceint leurs chefs de turbans de soie immaculée. Et que la fête commence !

Entre sa mère et la maîtresse de cérémonies, Laetitia s'avança. Toute de blanc vêtue, elle semblait un lis à peine éclos au milieu d'un bouquet de roses épanouies Sa chevelure de cuivre ruisselait sur ses frêles épaules, dont on avait séparé une mèche qui, par intermittence, venait cacher le mamelon pointant sa menue protubé-

rance de chair nacrée. Un diadème de diamants étincelait à son front, ajoutant l'éclat de la gemme à la lumi-
nosité de sa peau. On l'étendit sur la couche centrale où
elle s'alanguit parmi les coussins, tandis qu'un luthiste
aveugle dissimulé derrière une tenture égrenait quelques
accords.

A mon tour, je m'avançai pour rejoindre la vierge sur
la couche nuptiale, la cour s'installant alentour sur les
tapis et les poufs. Je lui effleurai la joue d'une main
légère afin d'apaiser ses alarmes et lui faire bien augu-
rer de la douceur de mon étreinte. Je frôlai son encolure
de gazelle, cueillit le sein offert tel une grenade au bout
de sa branche, l'enveloppai tout entier dans ma paume.
Je sentis durcir le tétin au creux de ma main. Sa turgescence m'excita à mon tour. Tendrement, je me pen-
chai sur elle, mes lèvres effleurèrent sa bouche fraîche
comme une feuille de menthe. Entre ses quenottes un
chiffon de chair pointait, que je saisis entre mes lèvres
et suçai avec délectation, buvant sa salive comme à une
fontaine d'eau claire. Elle me rendit aussitôt la pareille,
aspirant ma langue jusqu'à la glotte.

Ces préliminaires annonçaient des ébats torrides. Je
dégrafai son justaucorps, palpai son buste svelte mais
ferme, remontant le long des flancs satinés, et lui ayant
fait lever les bras au-dessus de la tête, léchai la chair
délicate des aisselles, où frisotait un duvet d'oisillon.
Son souffle se précipita, son ventre s'arqua, ses cuisses
se disjoignirent. Les lèvres broutant le satin chaud de
son ventre à peine renflé, je la libérai prestement de sa
culotte bouffante, découvrant avec ravissement le
coquillage pantelant de la vulve glabre, entre les
fuseaux des cuisses élancées. J'en entrouvris la fente

d'un geste délicat, débusquant le bouton qui déjà dardait sa crête comme une sentinelle montant la garde à l'orée de la grotte au trésor. Lorsque ma langue le fouetta, il se cabra, se dressa, tout congestionné, alors que de la crevasse sourdait un suc clairet. La saisissant par la taille, je la soulevai comme un fétu de paille et glissai un coussin sous ses fesses potelées. Les mollets reposant sur mes clavicules, le chaton entrebâillé, le ventre exhaussé, elle était prête pour la grande révélation.

La tête de mon nœud impatient se coula dans le sillon à peine creusé, tâtonna un instant à la recherche de l'ouverture, et ayant senti la légère déhiscence, s'y pointa. Abondamment lubrifié par la liqueur qui la baignait, il se fraya un chemin étroit, poussant avec précaution mais fermeté, heurtant de front la mince membrane qui céda d'un coup. La vestale jeta un cri d'oiseau, mais ne se déroba guère. L'hymen franchi, rien ne s'opposait plus à la progression de la verge roide qui poursuivit sa voie dans le fourreau comme dans une gaine de velours. Durant un instant, je bridai le zob fougueux, enfoui de part en part dans le vagin tout neuf, mais d'une ruade des hanches la jouvencelle m'avertit qu'elle n'entendait pas s'arrêter en si bon chemin. J'aurais eu mauvaise grâce à la décevoir, et laissai à mon chibre la bride sur le cou, qui piaffait de sillonner la voie qu'il venait de s'ouvrir. La gamine démontrait des dispositions innées pour le déduit, qui décuplaient le plaisir de l'initiation. Le zob allait et venait en elle avec la délectation de l'hôte d'une demeure princière, se frottant aux parois huilées, tels les doigts dans un gant de peausserie fine.

C'est alors que sur un signe de l'ordonnatrice des voluptés, Fahim se présenta à la tête de l'épousée et, extirpant une queue aussi brune qu'un pruneau, la proposa à sa bouche, laquelle l'accueillit avec une hospitalité exquise. Pour sa nuit de noces, la donzelle était gâtée. En guise de cadeau de mariage, deux bites la servaient, l'une étrennant son puits d'amour alors que la seconde comblait sa bouche. Et elle, point ingrate, ne ménageait guère ses efforts pour accueillir ses hôtes avec les honneurs. Bientôt une double averse de sperme vint récompenser son zèle, l'une inondant le fond de sa vulve et l'autre giclant à grands jets dans sa gorge, tant qu'elle déborda sur le menton. Insatiable, la langue de la nymphette s'évertuait à en laper la moindre éclaboussure.

Tous se précipitèrent sur la nouvelle épousée. Les femmes pour la cajoler, l'embrasser, lui susurrer des paroles d'affection, et les hommes pour la congratuler d'avoir subi l'épreuve avec un tel brio, lui augurant un avenir radieux dans l'art de la galanterie. On but en son honneur force coupes d'ambroisie et de tokay, en grignotant quelques douceurs nappées de miel et saupoudrées soit de noisettes, soit de pistaches concassées. On alluma les narguilés, qui répandirent dans l'atmosphère le lourd parfum de leurs volutes lascives, auxquelles se mêlèrent les effluves des corps exsudant le désir par tous leurs pores.

Assis en tailleur sur une ottomane, le dos confortablement calé sur une profusion de coussins moelleux, les sens apaisés, je savourais un bien-être exquis, auquel n'étaient pas étrangères les vapeurs du kif. Tout mon

être flottait dans un état vaporeux qui me berçait,
m'enrobait dans une torpeur languide, aiguisait tous
mes sens, décuplait ma réceptivité à la suave sonorité
du luth, aux jeux de la lumière et de l'ombre, au galbe
des chairs qui se dénudaient à mesure que la nuit pro-
gressait. Des fragrances épicées émanaient des corps
embrasés, moins sous l'effet des braseros de cuivre dont
on apercevait les braises rougeoyer à travers les cise-
lures, que de la passion érotique qui allumait les
regards, embrasait les joues, et durcissait la queue des
hommes et les mamelons des femmes.

Doña Esmeralda et la signora Gilda vinrent prendre
place à mes côtés. Je leur passais de temps à autre
l'embout d'ivoire de mon narguilé afin qu'elles en ins-
pirent à tour de rôle une bouffée. J'étais au comble de la
félicité. D'où que je me tournasse, je cueillais soit la
bouche de l'une, soit les lèvres de l'autre, toutes deux
offertes à mes attouchements, livrées l'une et l'autre à
mes explorations nonchalantes, consentantes, entrepre-
nantes, lubriques autant la première que la seconde,
courant également au-devant de mes moindres désirs.
Tandis que ma main folâtrait entre les cuisses de
l'Andalouse, la Vénitienne s'était emparée des doigts
de ma main gauche qu'elle suçait l'un après l'autre, tantôt insinuant une langue fureteuse dans les interstices, et
tantôt la pressant sur la paume où elle se lovait toute
chaude et humide de salive, allumant en moi des flam-
mèches de désir.

Cependant, la scène s'animait sous nos yeux. Inès,
dépouillée de tout vêtement, s'avança, précédée par
Achmet dont le braquemard redoutable pendait déjà
jusqu'à mi-cuisse. Sur ses talons, Nino lui lutinait la

nuque et les omoplates d'une bouche impatiente. Le premier prit place sur la couche, les cuisses écartées, telles deux énormes colonnes d'os et de chair. Au centre, se déployait dans toute sa splendeur son extraordinaire gourdin, noueux et luisant. La soubrette s'agenouilla aux pieds du géant, ceintura des deux mains la trique épaisse qu'elle eût été bien en peine d'appréhender d'une seule, et la fit coulisser entre ses paumes arrondies en conque. L'énorme gland de la taille d'un œuf d'autruche, gorgé de sang, vira au violacé, tandis que les testicules reposaient sur la face interne des cuisses, gonflés à craquer et mangés de broussaille fauve.

Bien que l'évidente disproportion entre l'ouverture de sa bouche et la taille de l'engin eût été de nature à dissuader la plus lubrique des Messaline, Inès n'en entreprit pas moins de l'insérer entre ses lèvres distendues. Mais, fine mouche, elle commença par l'enrober de salive en le léchant sous toutes les faces et sur toute sa phénoménale longueur, agitant une langue infatigable, courant du gland aux couilles, parcourant la grosse artère qui ascensionnait la hampe trapue, le manœuvrant à deux mains pour mieux l'enduire et que pas un centimètre de peau n'échappe à la douceur de ses lèvres. Elle le fourbissait sans relâche, l'humectait, l'astiquait, tandis qu'il ne cessait de se cabrer, de vibrer, menaçant à chaque instant de lui exploser en plein visage. Enfin elle parvint vaille que vaille à insérer l'obus dans son palais, mais guère davantage. Elle le tenait ainsi, serré entre ses lèvres, alors qu'à l'intérieur sa langue, inlassable, frétillait, s'enroulait autour du pilon de chair au bord de l'éclatement. Craignant de ne pouvoir contenir plus longtemps la déflagration, il se dégagea à grand-peine de la bouche gloutonne et, pesant sur les épaules de la fellatrice, puis la soulevant comme il eût fait d'une allumette, il l'allongea sur lui. La tête de la suivante n'atteignait même pas le plexus du pachyderme.

Mais elle était trop emportée par la luxure pour mesurer la témérité de son dessein. Cabrant ses fesses pleines, elle enfourcha le monstre, et les cuisses écartelées, n'hésita pas à empoigner le manche mirifique pour l'introduire en elle. Eu égard à l'étroitesse du vagin et aux dimensions du gourdin, la manœuvre semblait impossible. Elle s'y employa cependant, peinant et suant, souffrant et soufflant, les yeux exorbités, la sueur huilant sa peau mate, serrant les dents et poussant de tous ses muscles bandés, et parvint à ses fins. Miracle de la nature, force du désir, ressources insoupçonnées de la lubricité, je ne sais. Mais aux yeux ébahis et admiratifs de l'assistance fascinée, l'énorme chibre commença à s'enfiler centimètre par centimètre dans la grotte martyrisée, dont les parois se dilataient à la limite de la rupture pour faire place au monstre palpitant que la mouille de la suivante lubrifiait au fur et à mesure de sa progression. Enfin, une lueur de triomphe illumina le visage douloureux de la digne émule de ma favorite. Elle avait aspiré le zob prodigieux jusqu'aux couilles, qui mêlaient leur rêche broussaille à sa toison soyeuse. Puis, à petits mouvements précautionneux, prenant appui sur ses paumes appuyées sur le torse du mastodonte, elle se mit à se soulever et à s'affaisser, massant ainsi le phallus dans son fourreau distendu. Peu à peu elle accéléra la cadence. A chaque fois qu'elle se soulevait, on voyait entre ses fesses apparaître le pilon jusqu'au mufle, lustré de jus, tout veiné de vaisseaux gorgés de sang, tandis que le petit orifice de son anus se dilatait et se rétractait à chaque élévation et à chaque affaissement, tel l'invite coquine d'un œil clignant des paupières.

Celle-ci ne tomba pas dans l'oreille d'un sourd. Nino se tenait déjà prêt au pied de la couche, s'y jucha lestement et saisit l'empalée par la taille. L'escogriffe qui ahanait sous elle déploya ses bras de pieuvre et, empaumant chacune des fesses dodues, les écarta tant et si bien que le jeune Napolitain n'eut plus qu'à glisser sa bite bandée dans la vallée ainsi ouverte, et exercer une légère poussée pour pourfendre le cul de la soubrette. Celle-ci, investie à l'avant et à l'arrière à la fois, exhala un long soupir qui en disait long sur l'excitation allumant dans son corps une guirlande de feux follets, depuis la nuque fléchie sur la poitrine du malabar jusqu'aux talons agrippés à la couche. Un bûcher flambait sans discontinuer au centre de sa chair, au milieu de sa vallée incendiée par les pieux qui rivalisaient d'allant dans ses deux orifices séparés par une membrane devenue, sous l'action des deux intrus, aussi mince qu'un pétale de rose.

Et voilà notre Inès se trémoussant vaillamment sous les deux pals. Elle avance le bassin et engouffre la grosse bite. Se reculant, c'est le zob du Napolitain comblant son rectum. Sa peau s'embrase, toute fiévreuse, son souffle se fait court, haché. Elle halète, une ondée de sueur baigne son front, ses joues, ruisselle sur ses flancs, humecte ses seins aux bourgeons dardés qui s'élèvent et s'abaissent au rythme de la double pénétration. Ses fesses s'écrasent sur le ventre du géant, se crispent sur la queue de son sodomiseur. Elle éructe, bave, gémit. Soudain, sa respiration se suspend, la jouissance monte en elle telle un geyser, irrépressible. Elle brame, les deux manches au comble de l'érection s'acharnent à dilater ses orifices, à les forer, à les fouiller, elle n'en peut plus. Une pluie de larmes s'écoule le long de ses joues, de son cou, elle hurle. Elle jouit, elle jouit sans relâche. C'est alors que Achmet lâche une bordée de foutre au fond de sa craquette qui, inondée de crème épaisse, déborde de mousse écumante s'écoulant sur les cuisses que le spasme a raidies. A son tour, Nino catapulte son hommage brûlant dans ses intestins. Et un liquide torride jaillit dans son fondement et en enduit les méandres. Il lui semble que le jet est allé se jeter dans le flot que l'énorme bite a répandu dans ses viscères. Elle crie encore, elle sent la nappe lourde s'accumuler au fond de ses entrailles. Elle n'arrête pas d'imploser, mêlant la marée de ses propres humeurs à la source de foutre qui ne cesse de sourdre, d'arroser ses organes profonds. La lame de fond l'emporte, la ballotte, la roule, impétueuse, irrésistible. Elle s'effondre enfin sur le vaste poitrail du mastodonte, foudroyée, sans vie.

C'est peu dire que le spectacle avait soulevé l'émotion de la cour galante. Tous et toutes, pantelants, n'avaient pas quitté des yeux les acteurs de la scène, scrutant avec passion leurs contorsions, leurs ondulations conjuguées, fascinés, percevant la raucité de leurs souffles mêlés, humant les effluves épicés de leurs corps pressés, imbriqués, emboîtés les uns dans les autres. Un souffle torride traversait les êtres, enflammait les peaux, fourmillait au bout des doigts et à la pointe des seins, asséchait les bouches et hallucinait les regards. Tapi dans un coin, le petit Démétrios semblait émerger d'un rêve luxurieux, les yeux encore tout papillotants et l'air ébahi. L'Andalouse et la Vénitienne, s'étant concertées d'un regard, se précipitèrent sur l'adolescente et, sans lui laisser le temps de reprendre pied dans la réalité, lui arrachèrent sa djellabba en un clin d'œil. Il se laissa faire, docile, pendant que les deux diablesses le palpaient des pieds à la tête, l'effleuraient de leurs doigts de feu, le pétrissaient comme une glaise, frottaient contre son torse fluet et glabre la chair opulente de leurs poitrines, l'une au recto et l'autre au verso. Ainsi roulé dans une avalanche d'attouchements et de caresses, elles le conduisirent au pied de l'ottomane, où j'aspirais de lentes bouffées de mon narguilé de cristal de roche. Elles le jetèrent à mes genoux, et lui, soumis, enveloppa mes bourses dans sa paume brûlante, les soupesa avec douceur entre ses doigts fuselés, lissa la hampe qui se poussait du col, frôla le gland gonflé entre ses lèvres entrouvertes, le titilla du bout de sa petite langue humide. Puis, en un geste plein de délicatesse, il le goba doucement, comme il eût fait d'une dragée. Sa salive était fluide et tiède, et les parois internes de ses joues enfantines, là où la chair allie avec bonheur la densité et la tendresse, un vrai velours.

Pendant que sa bouche s'activait sur mon zob, les mains du mignon ne restaient pas inactives, fourrageant dans ma toison, effleurant mes couilles de la pulpe des doigts. Cependant mon amante de prédilection s'était étendue sur le dos entre mes jambes écartées, et s'étant emparée du pipeau du gamin, elle n'en avait fait qu'une seule bouchée, enfournant à la fois et le membre gracile et les billes qu'elle malaxait avec gourmandise entre langue et palais, comme si elle voulait en exprimer le suc. Quant à Gilda, elle était trop excitée pour ne pas prendre part au festin. Elle se coula derrière l'éphèbe et, mettant à profit sa posture prosternée, elle écarta ses miches joufflues entre les pouces, et insinua une langue frémissante dans la raie toute rose, la vrillant avec délice dans la bague.

Ainsi notre quatuor allait-il bon train. Mon pénis enflait dans la bouche du giton qui ne cessait de monter et descendre le long de la tige durcie, la lustrant de sa salive, quand la volcanique Italienne abandonna le cul du gosse pour chuchoter :

– Venez, monseigneur, il est à point

Tout à coup, la chaîne humaine se défit, et j'allai prendre position derrière Démétrios, toujours à quatre pattes. A présent, à ma place, Gilda se vautrait, les cuisses largement ouvertes sur sa chatte capitonnée de fourrure flamboyante, deux doigts écartés afin d'en entrebâiller les lèvres et dégager le clitoris, où déjà le page docile dardait son chiffon de chair. Cependant son cul, ouvert sous mes yeux, était trempé de la salive de la bacchante. Je n'avais plus qu'à y frotter la tête de mon bélier, et ayant senti la légère déhiscence, l'insérer au centre de l'œillet, qui se déplissa sous la pression. Gilda n'avait pas menti, le sphincter était souple, que je franchis sans effort. Je ressentis seulement un léger étranglement à l'instant du passage, puis la hampe suivit dans la foulée. Je secondai la manœuvre en agrippant les hanches sveltes et en les tirant vers moi, jusqu'à ce que mes couilles eussent buté sur les dômes jumeaux des fesses. Ensuite, les genoux bien plantés sur le tapis, j'imprimai un mouvement de bascule à mon abdomen, pistonnant le boyau de toute la longueur de ma flamberge conquérante. A cet instant, un fourmillement délicieux irradia mon fondement. C'était la langue de l'Espagnole qui s'y pavanait, attisant mon plaisir de ses arabesques lascives.

Le quatuor s'était reconstitué, mais les musiciens avaient interverti leurs instruments Nous avions atteint notre vitesse de croisière, des effluves organiques montaient de nos corps noués, mêlés à l'odeur de la sueur et à la senteur capiteuse des peaux enfiévrées. La queue enfoncée jusqu'à la garde dans l'anus du giton, je sentais le cul houler sous moi, tantôt dilaté et tantôt resserré, me branlant dans sa gaine huilée de salive. Dans le même temps, je percevais le râle de plus en plus rauque de Gilda dont la main se crispait sur le chef du gosse comme si elle entendait l'absorber tout entier, l'engloutir jusqu'aux épaules. Dans mon trou du cul et le long de ma raie, virevoltait la langue leste et infatigable de la belle Andalouse dont la caresse lubrique mettait le feu à mes lombes et se propageait de proche en proche aux cuisses, aux couilles et enfin me transformait en une torche incandescente. Un soleil radieux m'illuminait de l'intérieur, ma chair entrait en fusion, et soudain, j'explosai en mille particules ignées Une lave bouillante fit irruption de mes entrailles et gicla au fond du cul du gamin qui cria sous l'éperon de feu. Le cœur battant à rompre, j'entendis la roucoulade flûtée que poussa Gilda, dont les cuisses ruisselaient de liqueur, la cyprine issue d'elle mêlée à la salive du page. Ma favorite renversée sur le tapis saisit son bouton entre le pouce et l'index et le malmena tant et si bien qu'il dégorgea dans sa main une crème onctueuse. Elle s'empressa de fourrer ses doigts trempés dans la bouche de sa complice, qui déglutit l'élixir avec un plaisir non dissimulé.

Suivit un intermède musical. Le vin, le hachisch et l'érotisme sans entraves conféraient aux regards une brillance inégalée, libéraient les âmes de leurs carcans, réunissaient les protagonistes dans une fraternité de la chair comblée, de la volupté partagée, imprégnant l'atmosphère d'une béatitude euphorique. Tous, hommes et femmes, adolescents et jeunes filles, mitres et valets, tous âges et toutes conditions confondues, s'aimaient tendrement, et se témoignaient leur mutuelle affection par des sourires radieux, des attentions et des prévenances, des caresses et des propos empreints de sollicitude. En vérité, les disparités s'abolissaient, et il n'y avait plus que des êtres humains animés des meilleures intentions les uns envers les autres, dont le seul souci était de procurer à leur prochain la jouissance la plus intense, la volupté la plus profonde, le bonheur sans partage. On riait, on bavardait, on esquissait un pas de danse, ou mollement allongé parmi les coussins, on se laissait voguer sur les arpèges du luth ou de la cithare. Certains tiraient d'un narguilé de longues bouffées pensives, exhalant des volutes bluettes qui s'élevaient en dansant jusqu'au plafond revêtu de cèdre.

D'autres trempaient leurs lèvres tuméfiées de baisers et de suçons dans l'ambroisie. D'autres encore, insatiables, caressaient une épaule, la courbe d'une hanche, ou l'arrondi d'une cuisse accorte.

C'est alors que la jeune Zohra, brûlant de faire enfin la démonstration de ses talents, s'élança au centre de la rotonde. Les bras levés au-dessus de la tête, le nombril frémissant, elle roulait sa croupe callipyge avec une lubricité telle qu'elle eût converti à la sodomie le plus vertueux des imams. Tout en elle entrait en transes, elle se contorsionnait de la tête aux pieds, ses bras semblaient deux magnifiques serpents ondulant de concert, son cou d'ambre se déplaçait vivement de droite et de gauche, ses seins luxurieux houlaient comme les vagues d'une mer démontée, son ventre ne cessait de tressauter, traversé de brusques pulsations, ses cuisses, ses fesses rondes se cambraient et se relâchaient tour à tour, alternant l'offrande et la dérobade. Ses pieds agiles ne cessaient pas de voltiger sur les chatoyantes arabesques du tapis. Longtemps elle se ploya et se déploya telle une incroyable liane de chair oscillant sous la brise, offerte et dérobée tour à tour, lascive et réservée, courtisane et effarouchée tout ensemble.

Nus, leurs émois pointant au bout du ventre, Fahim et Fabio, emportés par la fougue de la jeunesse, se jetèrent de concert sur la tentatrice. Ils lui arrachèrent ses atours en un tournemain et, calquant leurs attitudes sur la sienne, mimèrent ses pas, ses postures et ses déhanchements. Dès lors, la danse les enveloppa tous trois dans son ondoiement syncopé, les plia à son rythme endiablé, les imprégna de sa cadence saccadée. Quel fabuleux tableau vivant présentaient ces trois corps dépouillés de tout voile, vêtus du seul jeu de leur chair et dans leurs muscles, que la sueur lustrait tel un onguent !

La lueur des flambeaux jetait des reflets de bronze.

Le duo de chasseurs, toujours gambadant, se rapprocha de sa proie, la traqua, la serrant toujours de plus près, la pourchassant à travers la pièce. Bientôt ils furent sur elle, le piège se refermait sur le gibier qui, vainement, cherchait quelque issue, quêtait une échappatoire. Bientôt ce serait l'hallali, la curée. La biche, hors d'haleine, ne se débattait plus que par à-coups. Déjà leurs mains de prédateurs la frôlaient, l'enveloppaient, s'en emparaient. Déjà leurs bouches voraces s'écrasaient sur elle, la mordillaient, la lapaient, la dévoraient à belles dents. Debout, désarmée, elle se livrait aux fauves. Seule sa peau ointe d'écume tressaillait. Fahim, de face, l'agrippait par les cheveux, sa bouche impatiente forçant ses lèvres, tandis que ses mains fiévreuses ne cessaient de la parcourir. Les paumes dures du jeune homme emprisonnaient les seins de la danseuse, en pinçaient les pointes, les roulaient entre les doigts. Fabio, quant à lui, prenait possession du recto, sa langue dardée courant le long de l'échine ployée depuis la nuque jusqu'à la pointe du coccyx. Une trace de salive en traçait le parcours, ainsi qu'un sillage de rosée sur une lande brûlée de soleil. Captive des carnassiers, la belle vacillait, les bras levés au-dessus de la tête. Les cuisses disjointes, elle avait abdiqué toute défense, s'offrant en pâture aux jeunes loups affamés.

Fabio, le premier, tomba à genoux, le visage enfoui au confluent des cuisses fortes mais fermes, où d'une main impérieuse il écarta les lèvres épilées, et y enfonça une langue si dardée qu'elle semblait la lanière d'un fouet. Son acolyte ne tarda point à l'imiter, mais c'est entre les fesses que sa bouche se vrilla, forant la profonde vallée sur toute sa longueur, violant le cratère froncé. Et la pulpeuse almée, investie des deux côtés à la fois, oscillait d'avant en arrière, offrant à l'un la crevasse mousseuse de son coquillage dodu, et à l'autre la raie profondément creusée au milieu de son cul plantureux. Les yeux révulsés, la langue humectant à petits coups les lèvres asséchées, elle émettait un ronronnement rauque de chatte en chaleur.

Toujours à genoux, Fahim se dégage du carcan torride des cuisses, recule, s'affalant au bord du divan. Elle le suit comme son ombre, haletante, au paroxysme du désir. Il l'empoigne vivement par les hanches, et, tout de go, l'assoit à califourchon sur son obélisque érigé. Pas le temps de dire ouf, que le pal la pourfend jusqu'à la matrice, fusant en elle avec un chuintement mouillé. Cependant, l'autre foutre n'entend pas jouer les utilités. Il fond sur les jouteurs, la queue formant un angle droit avec le ventre. Enjambant les cuisses de son compère où s'écrasent les rondeurs généreuses de la belle, il s'incline et sans coup férir lui perfore l'anus. La pénétration, quoique opérée sans ménagement, est facilitée par la bave dont il avait au préalable badigeonne l'œillet.

Prenant appui d'une part sur ses genoux fléchis, et d'autre part sur les épaules de la fille, le voilà qui la sodomise à tout va, ses han de bûcheron répondant aux gémissements de l'empalée. Les deux verges ramonent à l'envi les conduits parallèles, se côtoient, glissent de concert, rivalisent d'allant, de puissance et de vélocité, à peine séparés par la mince membrane qu'ils liment de pair.

Sur ce, surgit Achmet. Il se juche sur le canapé et,

debout, secoue son braquemard qui gonfle et s'allonge tel un boa constrictor. Mais il dédaigne la bouche qui déjà s'est entrebâillée. Une pogne enserrant l'encolure de la danseuse, de l'autre il agite le gourdin dont il se sert pour la frapper au front, au nez, aux joues, au versant du cou, et se saisissant du visage entre ses doigts aussi forts que des serres, il force les lèvres à avancer en cul de poule qu'il étrille de son instrument monstrueux, frictionnant la pulpe délicate comme s'il eût voulu la dépiauter. La chose s'enfle encore, se dilate, s'allonge, vire au violacé. Le réseau de veines qui la sculpte palpite, on voit presque la pulsation du flux qui l'irrigue par saccades. Le pachyderme n'y tient plus, ses nerfs cèdent d'un coup. Il explose, et un jet de bouillie grumeleuse éclabousse le visage de la belle ténébreuse, avalanche sur ses joues mates. Elle en est constellée depuis la racine des cheveux jusqu'à la pointe du menton. De lourdes gouttes dégoulinent sur les seins, entre lesquels l'ondée s'amasse en une mare glauque. Coulée laiteuse, dense et brûlante qui serpente avec nonchalance jusqu'au nombril.

8

J'avais fait atteler à la calèche une jument alezane, dont la robe rutilait sous le soleil printanier. De doña Esmeralda enveloppée dans les plis d'un ample burnous de fine laine, acagnardée au fond de la banquette fleurant bon le cuir de Cordoue, on ne pouvait voir que les yeux, soulignés de khôl. Je me tenais à ses côtés, humant son parfum de violette, tandis que la voiture filait droit entre les eucalyptus, dont les ombres caviardaient la route de leurs tachetures. Au-dessus, quelques nuages élevés voguaient dans l'azur avec nonchalance, telles de blanches nacelles. De part et d'autre, on apercevait à travers les portières vitrées des jonchées de coquelicots empourprant l'ocre des lopins de terre, délimités par les haies griffues des figuiers de Barbarie. Jaunes, bleues, mauves, des touffes de fleurs champêtres escaladaient les talus, y mêlant les chatoyances de leurs corolles déployées.

La ville fut bientôt en vue, étageant ses ombres et ses blancheurs. Dès que nous eûmes franchi la Porte du Miel, l'horizon s'abolit. La cité referma sur nous son labyrinthe de venelles, où les maisons, closes sur leurs secrets, nous épiaient à travers les mailles des moucharabies. Les souks étaient plus animés, grouillant d'une foule égaillée entre les éventaires débordant sur les allées, assourdie par le boniment tonitruant des marchands à la criée. Nous traversâmes le souk des orfèvres regorgeant de bijoux et de pierreries, puis le souk des parfumeurs fleurant le musc, l'ambre et le benjoin, pour déboucher enfin dans le souk des étoffes, où ma favorite plongea avec délices ses fines mains dans le lourd brocart et le taffetas miroitant, la mousseline diaphane et la soie fluide comme l'onde. Enfin, non sans hésitation, elle fit choix de quelques coupons doux au toucher afin d'y faire tailler parures et toilettes pour elle et pour sa protégée. Puis nous regagnâmes le palais, tandis que le crépuscule déroulait sur la cime des oliviers ses écharpes mauves et pourpres.

— Monseigneur daignera-t-il accéder à la requête de son humble esclave ? dit-elle comme on apercevait la poterne.

— Tu sais bien que je ne saurais rien te refuser.

— Voilà, je souhaiterais m'encanailler en compagnie de mon prince bien-aimé, courir les bouges et les tripots, épier les plaisirs secrets du peuple.

— Tu aurais pu demander de l'or ou des joyaux, tu sais que j'aurais été trop heureux de te les offrir. Mais toi, voilà tout ce que tu désires ! Dès ce soir, ton vœu sera exaucé.

Nous quittâmes le palais vers la mi-nuit, déguisés en marchands. Ma fière Andalouse avait dissimulé sa chevelure luxuriante sous un turban de soie immaculée, un ample burnous à parements brodés d'argent enveloppant sa voluptueuse silhouette dans son drapé. La calèche nous déposa au pied des remparts, et nous nous enfonçâmes dans le lacis des ruelles, où de loin en loin des lanternes diffusaient de tremblants halos de lumière. Nous croisâmes un ivrogne titubant entre les murailles, puis une bande de fêtards sortant de quelque taverne, assommés de hachisch et de vin de Sicile. Nous débouchâmes sur une venelle brillamment éclairée, bordée des deux côtés de masures surmontées de quinquets rouges, signes distinctifs des lieux de débauche. Sur les seuils se pavanaient des prostituées à moitié nues, qui s'esclaffant sans retenue et qui épiant les passants à la dérobée, qui les interpellant avec des voix de poissardes et qui se contentant de sourire, découvrant des dents aurifiées. Certaines portes étaient closes, la maîtresse de céans exerçant pour l'heure ses salaces talents sur quelque commerçant en goguette, ou quelque ruffian en rupture de ban.

J'entraînai ma compagne hors de ce quartier sordide, où on ravalait le plaisir au rang d'un trafic mesquin, dépourvu de joie. Nous cheminâmes encore, bifurquâmes, tournâmes au coin d'une autre ruelle pour tomber dans une impasse, où s'ouvrait une porte cintrée. J'actionnai le heurtoir de bronze, et l'huis s'entrebâilla sur une Noire drapée dans un sari de soie semé d'abeilles d'or. Quand je me fus fait connaître, elle nous pria de la suivre avec une courtoisie de grande dame. Nous traversâmes à sa suite un patio pavé de marbre étincelant, au centre duquel roucoulait une fontaine. Le sol comme les murs croulaient sous les plantes en pot, dont les fragrances embaumaient la nuit, où la lune diffusait une clarté d'opale. Nous suivions toujours notre guide, fascinés par le port de sa nuque, sa démarche féline, l'harmonie de sa silhouette et le sombre éclat de sa peau d'ébène. Nous gravîmes enfin un escalier protégé par une rampe de bois tourné, donnant sur une salle spacieuse où, mollement allongée sur une vaste ottomane, la maîtresse de maison reposait.

– Bienvenue à toi, Ramzi Pacha, aigle des mers, et à ton compagnon, dit-elle d'un ton enjoué.

Lorsque mon Espagnole eut défait son burnous et libéré sa chevelure, elle s'avisa de sa méprise. Elle lui fit fête, exigeant qu'elle vînt prendre place à ses côtés, faisant quérir d'un geste de la main friandises et rafraîchissements. Ainsi devisâmes-nous agréablement, tandis que les braises rougeoyaient dans le brûle-parfum de cuivre ciselé trônant au milieu de la pièce, d'où montaient de lourds effluves d'encens.

Faïza – que j'avais connue du temps de sa splendeur – avait des années durant joui du statut envié de favorite du Bey. De son éclatante beauté, à présent fanée, hélas ! elle avait cependant gardé quelques vestiges : la fulgurance du regard, l'ourlet gourmand de la bouche entrebâillée sur une rangée de dents dont l'aveuglante blancheur avait été épargnée, et la matité satinée de la carnation. Mais le passage des années l'avait lestée d'une surabondance de chair qu'elle entretenait par un incessant grignotage de loukoums.

C'était sa drogue, sa consolation. Pour l'heure, elle mordait dans un petit cube translucide saupoudré de farine de sucre et incrusté de pistaches, tout en dévisageant mon amie d'un air de convoitise qu'elle ne cherchait pas le moins du monde à dissimuler. Je me souvenais de nos anciens ébats, de son insatiable appétit de plaisirs de quelque forme qu'ils fussent, de son corps bien en chair, de la chaleur de ses orifices et de l'exquise houle qui agitait son ventre tandis que je la pénétrais. J'étais alors un jeune coq plein d'ardeur et elle, une experte courtisane. Je lui devais bien des révélations sur le chemin de l'art érotique.

Quand elle sut l'objet de notre visite, elle nous conduisit dans une alcôve décorée avec un goût raffiné de tables basses incrustées de nacre et de brûle-parfum en verre de Venise. De lourdes tentures de velours de Gênes occultaient les fenêtres, de précieux tapis de Perse feutraient les pas et les voix. Le fond de la pièce était tout entier occupé par un vaste lit surélevé, auquel on accédait par un escabeau d'acajou. Au milieu de la cloison s'ouvrait une imposte pourvue d'une glace sans tain, de sorte qu'on s'y trouvait aux premières loges pour plonger les yeux dans la chambre attenante. Celle-ci figurait un boudoir aménagé en rotonde. Au centre trônait un sofa circulaire jonché de coussins multicolores.

Nous prîmes nos aises dans notre observatoire secret, un flacon de xérès à portée de la main. L'eau gloussait dans le narguilé dont les lourdes volutes embaumaient l'atmosphère de leurs effluves de miel. La porte du boudoir s'ouvrit sans bruit. Une jeune nymphe entra, parée comme une princesse. Un diadème de gemmes resplendissait à son front d'ivoire poli. Sa chevelure ondulée tombait en cascade jusqu'à la chute des reins. Les yeux d'un vert d'émeraude se constellaient d'étincelles. La ligne nette du nez aquilin, le dessin des lèvres généreuses dénotaient un tempérament de feu. Quand, avec des gestes pleins de grâce, elle se fut dépouillée de ses atours et étendue sur le sofa, nous en eûmes le souffle coupé. L'harmonie des proportions, le satin lumineux de la peau, l'opulence des seins comme happés par le téton couleur de corail, la plénitude des cuisses fuselées, la luxuriance de la croupe haute, la finesse des attaches, tout en elle était à ravir, tout inspirait les rêves les plus voluptueux.

Et, au milieu de cette fabuleuse contrée de combes et de vallées, un lac irradiant une lumière chaude, la vulve brillait de toute sa splendeur, entièrement épilée. Les deux lèvres sculptées en pleine chair se drapaient autour de la fente où le clitoris dardait son bouton de nacre, pareil à une perle du plus bel orient. Alanguie dans sa pose d'odalisque, la princesse s'étira avec grâce, et les mains en berceau derrière la nuque, baissa les paupières. A la contempler ainsi, la poitrine se soulevant et s'abaissant paisiblement, le souffle égal, on pouvait la croire assoupie. C'est alors qu'apparut la servante – celle même qui nous avait conduits auprès de sa maîtresse – qui, à pas comptés, se dirigea vers la couche, et s'assit aux pieds de la sultane endormie. Drapée dans son magnifique sari, elle demeura comme pétrifiée, tout entière absorbée dans la contemplation de cette nudité si parfaite qu'elle suscitait la fascination. Puis, avec une grande délicatesse, comme si elle émergeait de quelque enchantement, sa main aux doigts d'une incroyable finesse, aux ongles laqués de carmin effleura le pied de la belle alanguie, l'enveloppa dans sa paume, du talon à la pointe de l'orteil, le réchauffa, le cajola, le berça. Puis elle le reposa avec précaution comme si elle eût manié une statuette précieuse, pour prendre l'autre avec la même douceur et le traiter avec une dévotion égale. Pendant ce temps la déesse ne bronchait guère, pas un muscle ne bougea en elle, pas un sursaut ne troubla sa sérénité. Elle continuait de reposer, le visage paisible et la respiration régulière. A croire qu'elle restait tout à fait insensible aux attentions que la fille d'ébène lui prodiguait.

Cependant une telle impassibilité – apparente à tout le moins – ne décourageait pas la servante qui, persévérant dans son entreprise, frôlait à présent les jambes, remontant du mollet à la cuisse. S'enhardissant, elle lança quelques rapides incursions sur la plage du ventre, et de là la main s'incurvait pour épouser la courbe de la hanche, glissait le long des flancs jusqu'aux aisselles glabres, où elle fit halte quelques instants comme un voyageur recru de fatigue dans une oasis de douceur. Et l'autre, inerte, semblait toujours plongée dans un profond sommeil.

Après cette exploration préliminaire, la diablesse noire revint à son point de départ. Elle se saisit de nouveau du pied de la belle indifférente et se mit à le lécher sous toutes ses coutures, suçant les orteils un à un, et insérant sa langue dans les interstices qui les séparaient, sautant du talon à la plante du pied, courant du cou à la cheville. Puis, elle enfourna les orteils tous ensemble et les mâchonna longuement, comme si elle voulait en exprimer le suc. L'autre pied bénéficia du même traitement. L'idole ne remuait toujours pas un cil.

Alors la tentatrice se dévêtit avec des gestes à la fois précis et pleins de langueur. Déroulant les plis de son sari, elle apparut dans la magnificence de sa peau d'ébène lustré, dévoilant une poitrine qui se hérissait de deux pointes de flèche bistre, sa taille creusée surplombant des hanches d'amphore. Au confluent des cuisses nerveuses, la chatte ardait comme une braise, capitonnée d'un bouclier d'astrakan.

Se coulant au flanc de la belle endormie, elle frotta
ses seins d'airain contre les seins d'ivoire, tandis que
son bassin de jais oscillait entre les cuisses desserrées,
et que son buisson crépu coiffait le coquillage aussi
lisse qu'une joue d'enfant. Je ne dirai pas l'émotion que
souleva en nous le spectacle du couple formé par la
Noire et la Blanche, accolées l'une à l'autre, peaux frottées, membres enchevêtrés, bouches scellées, l'une couleur de mûre et l'autre de cerise. C'est alors que le
miracle advint. La statue s'anima et ses bras jusqu'alors
inertes se refermèrent sur la liane noire qui s'enroulait
autour d'elle. Un soupir s'exhala de ses lèvres, puis un
autre, son souffle se précipita, sa poitrine se souleva, ses
cuisses d'albâtre s'exhaussèrent pour capturer dans leur
voluptueuse tenaille le corps nocturne qui l'investissait
de toutes parts.

La Noire, un sourire énigmatique flottant sur ses
lèvres violettes, se dégagea avec douceur, et féline telle
une panthère, se posta à l'aplomb du visage de son
amante. C'est alors qu'il nous fut donné de voir cette
chose étonnante, qui nous laissa pantois. Elle s'accroupit, et de ses deux doigts, écarta les valves de sa moule
protégée par une fourrure serrée. Entre les deux croissants, se dressant au milieu la muqueuse d'un rose de
dragée, une miniature de pénis apparut.

C'était donc cela, un hermaphrodite ! Lequel, toujours
dans la même posture, coula son modèle réduit de bite
dans la bouche purpurine de la princesse. Celle-ci sembla prendre un plaisir extrême à sucer le doigt de chair, à
le mordiller, à le mâchonner entre ses lèvres, à le faire

jouer entre ses joues. Quand il eut son content de la fellation, l'hermaphrodite se saisit des cuisses de la belle, et
les plaçant sur ses épaules, usa de son menu dard comme
d'un pinceau sur le clitoris gonflé et luisant de mouille,
le poussant de temps à autre à l'entrée du puits d'amour.
A chaque aller et retour, le bassin de la nymphe se soulevait pour mieux s'offrir à la caresse. L'excitation montait
crescendo, elle atteindrait bientôt son paroxysme. On
entendait des halètements rauques, des couinements.
Une plainte flûtée annonça l'imminence de l'extase.
Quand il vit la cyprine sourdre de la fente, l'androgyne
s'en oignit les doigts qu'il porta à l'orifice s'ouvrant
sous son appendice. En deux ou trois mouvements à la
fois rapides et violents, il défaillit à son tour, la tête renversée en arrière, et la poitrine dardant ses pointes acé-
rées qui semblaient avoir doublé de volume.

Notre hôtesse nous expliquerait plus tard que la belle
dormeuse était une princesse de haut lignage, qui venait
en sa demeure goûter aux plaisirs de la chair, sans toutefois hasarder sa virginité, qu'elle réservait à l'époux que
son père choisirait le moment venu parmi de nobles pré-
tendants.

Un autre jour, nous nous rendîmes dans un domaine
distant de quelques lieues. La veuve d'un vizir nous y
avait conviés. La demeure se nichait au fond d'un vaste
verger planté d'agrumes. L'air embaumait la fleur
d'oranger. La résidence, quoique de proportions relati-
vement modestes, était un joyau d'architecture mau-
resque. Ce n'étaient que coupoles et voussures, patios
agrémentés de fontaines, loggias cernées de balustrades
de bois tourné, plafonds de cèdre sculpté, lambris de

rutilantes céramiques à motifs floraux, cloisons revêtues de stuc ciselé, alcôves éclairées de lanternes de cuivre rouge. Nous y fûmes reçus par un eunuque tout de soie vêtu, qui nous servit une délicieuse collation de boutargue, de rougets de roche grillés, d'escargots à la sauce piquante et de ragoût de perdrix. Au centre de la table basse trônait un flacon d'arak flanqué de minuscules verres de cristal taillé. Après nous avoir souhaité la bienvenue et transmis les excuses de la maîtresse de céans, qui ne pouvait paraître pour l'heure mais que nous verrions plus tard, le domestique s'éclipsa. Il ne nous restait plus qu'à faire honneur aux mets, et à siroter le succulent café parfumé à la cardamome servi dans de précieuses tasses de porcelaine chinoise.

L'eunuque revint peu après pour nous annoncer qu'il allait nous conduire à sa maîtresse Il nous précéda à travers une enfilade de salons et de boudoirs dallés de marbre étincelant, sur lequel des tapis tantôt de soie tantôt de laine jetaient les chamarrures de leurs couleurs. Ainsi arrivâmes-nous jusqu'à une pièce basse de plafond, où régnait une fraîche pénombre. Sur les quatres faces, les murs étaient revêtus de hauts miroirs. Sur des trépieds de fer forgé brûlaient des chandelle d'où montait une lourde senteur de musc. Notre guide nous pria de prendre place sur un sofa et referma la porte.

Dans le fond de la pièce, une ouverture se fit jour. Une femme entra, tenant en laisse un énorme molosse d'une main, et de l'autre un bouc au regard d'un jaune de topaze, et aux cornes effilées qui s'enroulaient sur son front. Sans un mot, elle avança jusqu'au centre de la pièce et nous salua d'un signe de tête. Le port altier, le regard perçant filtrant de ses yeux en amande, la chevelure aile de corbeau coiffée en bandeaux et ramassée sur la nuque en catogan nous firent la meilleure impression. Elle semblait une danseuse de flamenco dans son ample robe à volants mousseux, dont le décolleté profond dévoilait la naissance d'une gorge d'un galbe remarquable.

Toujours sans piper mot, elle claqua des talons sur les dalles sonores, le regard impérieux, toute cabrée, les reins cambrés et la poitrine projetée en avant. Ses contorsions lascives soulignaient la flexibilité de sa taille, la courbe harmonieuse de ses hanches, et le fuseau de la cuisse qu'une fente de la parure révélait sur toute sa longueur. Un feu dévorant parcourait ses veines, tandis que ses jambes de pouliche frappaient le sol en cadence. Tantôt elle entrait en transes, le corps sillonné de frissons, l'œil lançant des éclairs, une buée de sueur huilant sa peau mate, tantôt elle se figeait dans une pose hiératique, la croupe arrogante, la nuque renversée et le regard rivé au plafond.

Ma compagne était subjuguée, retrouvant sans doute dans cette danse suggestive un écho de sa terre natale. Soudain, notre hôtesse cessa son exhibition. Elle se dépouilla de sa robe, qu'elle saisit par l'ourlet pour la retirer par le haut. Dessous, elle était nue. Ainsi se dévoila son anatomie plantureuse aux proportions harmonieuses. Sous le vallonnement du mont de Vénus, une toison de jais tapissait la chatte dodue. Sans un regard pour l'assistance, elle se laissa glisser sur le tapis et, s'étant saisie d'un pouf en cuir repoussé, elle l'inséra sous ses reins. Ainsi son corps formait-il un angle droit, la tête et le torse reposant au niveau du sol, alors que le bassin et les jambes s'offraient sur l'autel qui les exhaussait, nous gratifiant d'une vue directe sur la vulve exposée par l'écartement des cuisses. Au milieu de l'écrin sombre de la touffe, le coquillage révélait les tendres aspérités de ses muqueuses et l'entrée de la grotte surmontée de la crête labile du clitoris en alerte.

Les doigts bagués de la femme y dansaient un ballet lascif, faisant monter la tension dans la pièce. Soit ils pinçaient les lèvres charnues, les écartaient, les trituraient. Soit, préalablement humectés de salive, ils venaient titiller le bourgeon, lui imprimaient un rapide mouvement circulaire, ou le tapotaient de la pulpe. Parfois, un index pointé s'immisçait dans le vagin jusqu'à la paume et y jouait à son aise. Le molosse, qui jusqu'alors s'était tenu tranquille, se mit à frétiller de l'arrière-train et à émettre des gémissements d'enfant. Soudain, il s'élança et en trois bonds fut entre les cuisses de sa maîtresse. Sa langue démesurée, rose, pesante pendait entre ses babines gluantes de bave. Il la pointa droit dans la vulve qu'elle recouvrit de part en part, et lui imprima un mouvement tournant. La bave canine se mêlait au jus suintant de la maîtresse comme d'une source. Celle-ci ne se possédait plus, jappant telle une chienne, le poil hérissé, les muscles tétanisés, l'œil vague. De temps à autre, le mâtin enfonçait la pointe de son mufle dans la grotte et l'y faisait aller et venir à une cadence soutenue. Quand enfin la femme jouit, son cri ressemblait à un jappement.

Satisfait, le chien se retira et s'en alla se pelotonner dans un coin, se pourléchant les babines. C'est alors que le bouc s'ébranla, tête baissée. Il posa ses pattes antérieures sur les cuisses toujours ouvertes, et d'un coup, d'un seul, il enfourna un pénis mince, long et noueux tel un cep de vigne dans la vulve trempée. L'estocade ne s'arrêta que lorsque les couilles de l'animal lubrique, aussi dures que des balles de caoutchouc butèrent sur les fesses rebondies. Dès lors la femme ne cessa plus de couiner, le souffle rauque, les mains crispées sur les seins dont elle pétrissait les bouts érigés comme si elle avait voulu les arracher, le bassin tressautant sous les coups de boutoir du satyre. Cependant, celui-ci, déchaîné, ne lui laissait pas le moindre répit, arc-bouté sur ses pattes postérieures, les sabots bien plantés dans le sol, la bite agitée d'un mouvement de piston entrant et sortant du tunnel poisseux à un rythme d'enfer. Tout à coup, il se figea, le membre profondément enfoui dans la figue béante. Un long moment, l'échine parcourue de spasmes, il resta planté dans la femme comblée. Sans doute, y déversait-il le contenu bouillonnant de ses bourses convulsives. Puis lentement, il se retira, non sans que sa langue effilée vint en signe de gratitude lécher ses propres sécrétions mêlées à celles de la femme. Quand à elle, elle hoquetait, éructait, bavait sans relâche. Son ventre palpitait, ses fesses se crispaient et se relâchaient tour à tour. Le faune s'était emparé d'elle, la laissant pantelante, haletante, hors d'elle.

Tout émoustillés, nous quittâmes les lieux avant qu'elle eût seulement repris conscience.

Faïza me fit avertir qu'un spectacle digne d'intérêt se déroulerait chez elle la nuit suivante. Nous nous y présentâmes à la tombée du jour, et fûmes aussitôt introduits dans l'observatoire, où quelque temps auparavant nous avions épié les ébats de la princesse vierge et de l'hermaphrodite au corps d'ébène. Pressée de questions, l'hôtesse refusa pourtant de nous révéler ce dont nous allions être les témoins, se bornant à répondre qu'elle n'était pas maîtresse des événements, et qu'au demeurant l'effet de surprise serait un piment dont il serait dommage de se priver. « Sachez seulement, dit-elle, que vous allez voir une mère et son fils. »

A peine avais-je allumé une pipe de kif qu'une femme entra dans le boudoir, tenant par la main un garçon d'une quinzaine d'années. D'elle on ne pouvait apercevoir que les yeux en amande d'un noir d'encre, tandis que le reste de sa personne, de la racine des cheveux à la pointe des orteils, était drapé dans les plis d'un burnous. Son visage se dissimulait sous le capuchon tiré au ras des sourcils. Quant au gamin, il était gracieux comme un page, la joue ronde et duvetée, la taille bien prise dans une tunique de velours passementée de fils de soie, les jambes déliées, chaussées de babouches de basane, qui lui conféraient une démarche dansante d'elfe.

La femme se tapit dans un coin sombre, alors que l'enfant laissé à lui-même jetait un regard circulaire sur les lieux, tout ébahi de se trouver entouré de tentures de brocart et de bibelots d'onyx et de jade. La porte s'ouvrit de nouveau pour livrer passage à deux hommes. L'un, de haute stature, le torse nu bosselé de pectoraux impressionnants, les hanches étroites prises dans la large ceinture écarlate de sa culotte bouffante, semblait quelque acrobate échappé d'un cirque, ou un flibustier à l'escale. Quant à l'autre, le thorax trapu sur des jambes torses, la bedaine proéminente, il était d'une laideur repoussante, les yeux chassieux et la peau piquetée de vérole.

Sans un regard pour la mère, il se dirigea tout de go

vers l'adolescent, l'œil allumé dans le faciès mou, et se mit à le scruter sous toutes ses coutures, tel un maquignon tournant autour d'un veau. Effarouché, le gosse reculait à mesure que le gnome s'en approchait, la mine chafouine et la lippe tordue par un vilain rictus. L'athlète, lui, observait la scène, sans dire mot et sans ébaucher un seul geste, pendant que son acolyte ne cessait de pourchasser sa proie à travers la pièce.

Il finit par l'acculer contre la cloison, ses bras épais et velus se refermant sur le frêle jeune homme, tels les mâchoires d'un piège. Le gibier avait beau ruer, se débattre, il ne pouvait échapper à l'étreinte de son agresseur, qui l'écrasait contre son thorax adipeux. Voilà maintenant que les doigts boudinés agrippent le visage délicat, l'immobilisent dans une étreinte de fer, tandis que les lèvres lippues s'écrasent brutalement sur la bouche fraîche. L'infant suffoque, ouvre les lèvres pour aspirer une bolée d'air. Le prédateur en profite pour y glisser une langue gluante qu'il enfonce jusqu'à la glotte. Durant ce temps, la mère, toujours blottie dans son coin, n'esquisse pas le moindre geste pour venir en aide à son rejeton.

D'une pogne, l'énergumène le maintient fermement, et de l'autre lui arrache ses vêtements. Le voilà bientôt nu comme un ver. On aperçoit sa peau, fine et très blanche, ses cuisses sveltes, son cul joliment arrondi. L'assaillant le pousse en avant d'une bourrade, il tombe à quatre pattes sur le tapis. Le violeur fond sur lui et, insérant ses genoux cagneux entre les cuisses tendres comme un coin, il le force à les disjoindre. Puis, posément, il écarte à deux mains les fesses potelées, ouvre la raie comme un livre, découvre l'œillet au centre de la rosace toute plissée Et voici que le zob lourd, au gland effilé, se pointe sur l'anus rose, les grosses couilles poilues ballottant contre la croupe agitée de tremblements. L'enfant gigote encore. Une taloche violemment assénée sur la nuque manque de l'assommer. Le gnome crache dans sa paume, enduit la rosace, crache encore et se lubrifie le manche d'épaisse salive. Il empoigne les hanches de l'éphèbe, frotte sa pointe dans la raie sans défense, et d'un coup de rein puissant le perfore. L'adolescent hurle, déchiré. Le sodomite n'en a cure qui poursuit son forage dans le cul défoncé. Des sanglots retentissent, alors que la grosse pine fouille le rectum martyrisé, l'éperonne, le vrille, avance et recule, s'enfonce et se rétracte, fore sans répit l'étroit conduit, où perle à présent une goutte de sang.

C'est alors que l'acrobate sort de sa réserve. Il extirpe de son saroual une bite longue et dure, et s'agenouillant à la tête du violé, entreprend de lui en frictionner les lèvres trempées de larmes. Maintenant d'une main la nuque du malheureux jeune homme, il réussit à introduire le gland turgescent dans la bouche vermeille, et à l'y faire jouer comme dans une vulve. Et le duo va bon train, l'un enculant et l'autre baisant le gamin dans la bouche. Des halètements rauques se font entendre, tandis que la mère émerge de son inertie pour encourager les violeurs de la voix et du geste:

— Vas-y, s'exclame-t-elle, casse-lui le cul! Et toi, fais lui bouffer ton zob! Enfonce-le-lui jusqu'au fond de sa gorge d'enculé!

— T'inquiète pas, répond le nabot entre deux rugissements, quand j'en aurai fini avec lui, il aura le cul aussi large que la Porte du Miel!

Le rythme s'accélère encore, les souffles s'abrègent, l'excitation monte, culmine. Le premier, le satyre lâche une bordée de semence dans un feulement de fauve. L'autre le suit de près, sa queue se convulse, le gland se congestionne, il explose enfin dans la bouche forcée, inonde le palais, gicle jusqu'au fond du gosier. Quand il se retire, le manche continue à palpiter, marbré d'écume, de lourdes gouttes sourdant encore du méat. Le supplicié, enfin libéré par ses tortionnaires, gît sur le côté, les joues ruisselantes de pleurs et de foutre.

La scène semble avoir porté la mère au comble de la fureur érotique. D'un geste brusque, elle se dépouille de son burnous, sous lequel elle ne porte rien. Sa chair mûrissante s'offre aux regards, ses seins lourds, son ventre bombé, ses fesses opulentes, et sa chatte épilée que de part en part comble un clitoris extraordinaire. Rouge sang, charnu, turgescent, on dirait la crête d'un coq de combat. Le regard hagard, elle se jette les quatre fers en l'air, deux doigts insérés dans la vulve qu'elle frictionne à s'en faire saigner les muqueuses. Elle se branle sans retenue, les cuisses ouvertes au grand compas, les fesses cambrées, les pointes des seins aussi dures que des fers de lance, qu'elle triture à pleines mains. De temps à autre, l'index va contourner le dôme des fesses, pour incursionner au fond de l'anus.

Le premier à réagir, c'est encore le nabot. Sa queue, qui à l'instant semblait brisée, renaît de ses cendres. Tel un serpent, elle se déplie, enfle, le gland violacé se redresse, de nouveau prêt à perforer, fouiller. Il se précipite sur la tribade, la saisit à bras-le-corps, la soulève comme un fétu de paille, et s'allongeant à sa place, l'entraîne dans sa chute. Il la dispose de façon qu'elle le couvre de son dos, et sans plus attendre, lui insère son manche dans le rectum. De son côté, guère rétive, elle empoigne le mandrin d'une main fébrile, et favorise l'empalement avec un râle qui doit autant au plaisir qu'à la douleur.

Elle ondule sur le zob qui l'encule, se contorsionne, écarte à deux mains ses miches, afin de s'empaler mieux encore, éructe, feule, bave. Les cuisses bandées chevauchant les cuisses épaisses du sodomite – deux troncs d'arbre –, exposant sans vergogne sa chatte béante, elle exhibe ses chairs intimes luisantes de mouille et le fanon érigé de son bourgeon tout vibrant de luxure. L'invite est trop pressante pour laisser l'athlète indifférent. D'ailleurs son sabre a recouvré toute sa vigueur. Il se dresse, arrogant, le gland touchant au nombril. A son tour, il chevauche les cuisses de son compère, et sans coup férir, pénètre la Messaline en rut, qui appelait l'assaut de tous ses vœux. La voilà investie par ses deux orifices. La cadence se fait de plus en plus vive, les deux fouteurs de plus en plus fougueux. Quand le sodomite propulse son manche dans le rectum dilaté, la bite du bellâtre se retire du vagin, et *vice versa*. Les deux pistons s'activent sans trêve. Les sueurs exsudent des épidermes embrasés, huilent les chairs qui se frottent les unes aux autres, les souffles se mêlent, les râles fusent de concert.

— Je vais lui transpercer l'intestin, clame le gnome en poussant son chibre au tréfonds du cul.

— Attends que je lui aie retourné la matrice, éructe le baiseur entre deux halètements.

— Karim ! Karim, viens ici, mon mignon. Viens niquer ta maman chérie !

La femme appelle son fils, qui pleurniche toujours

dans son coin. Comme il n'obtempère guère, elle le menace :

– Si tu n'obéis pas sur le champ, je te fais enculer de nouveau par le gros dégoûtant !

Le gosse, terrorisé, s'approche.

– Viens plus près, mon trésor, ordonne-telle. Tu n'aimes donc plus ta petite maman ? N'aie pas peur, maman va te faire du bien. Viens…

Ainsi, tantôt menaçante et tantôt caressante, elle l'oblige à s'agenouiller devant elle, et saisissant d'une main avide le pipeau fluet et les testicules pas plus gros qu'une paire de billes, elle les gobe tout ensemble. Elle mâchonne le nœud de chair entre ses lèvres, le lèche, le suce, sa langue virevoltante s'y enroule de la racine à la pointe du gland, s'attarde sur le méat qu'elle entrouvre d'une pression des doigts. Et sous les yeux encore noyés de larmes du mignon, la biroute s'allonge, durcit, se dilate. Les petites glandes se contractent, enflent. Bientôt il ne se contrôle plus, il bande dans la bouche de sa mère. La fellatrice triomphe, elle est aux anges, ses trois orifices sont comblés. Trois s'affairent en elle, l'un dans son vagin, l'autre dans son cul et le troisième, le plus délectable, dans sa bouche.

Elle espère le sperme comme une terre desséchée une pluie bienfaisante. Elle se contorsionne avec une énergie décuplée, s'ouvre aux pénis qui l'assaillent, avale la dague de son rejeton jusqu'au fond du gosier. Enfin c'est l'extase ! Elle ressent la chaude giclée dans son antre secret comme un coup de fouet, elle se cabre. Son vagin est bientôt inondé de crème brûlante. Elle empoigne son fils par les hanches et le secoue sur sa bouche vorace. L'éphèbe tremble comme une feuille, les veines de son cou pantèlent, un cri s'arrache de sa gorge. Son foutre clairet vint de jaillir contre les dents de sa mère. Le reste de l'ondée se répand sur les lèvres qu'elle lape, ne voulant pas en perdre la moindre goutte.

Au moment de la laisser, toujours agrippée au sexe de son fils, les fouteurs lui crachent au visage. Elle sourit, béate.

Les beaux jours sont enfin de retour. De la terrasse de mes appartements, je vois la mer étale scintiller de toutes ses pierreries. Cette nuit sera célébrée la soirée d'adieu de la cour d'amour. Demain à l'aube, je reprendrai la mer pour une nouvelle saison de chasse. Avaries réparées, brèches colmatées, mes vaisseaux et mes équipages sont fin prêts à courir la fortune des océans.

Plus que jamais, je suis le *raïs*, l'aigle des mers, le *kapoudan* de la flotte de la Sublime Porte. Si Dieu le veut, je reviendrai à l'automne, pour inaugurer à nouveau le cercle érotique. A moins qu'un obus, une arquebusade ou un coup de sabre ne vienne interrompre le cycle de mes saisons. Car la vie renferme la mort, ainsi qu'on a coutume de dire sur nos rivages.

Achevé d'imprimer
sur les presses de l'imprimerie IBP
à Fleury Essonne 91 (1) 69.43.16.16
Dépôt légal : Avril 1995
N° d'impression : 6236